Power food

Pure recepten van

RENS KROES

Voor een happy & healthy lifestyle

Spectrum

Colofon

Tekst
RENS KROES

Ontwerp en vormgeving
BÜLENT YÜKSEL
www.bybulent.com

Fotografie
ANNE TIMMER

Styling
RENSKE VAN DER PLOEG

Visagie
YOKAW@ANGELIQUE HOORN (cover en binnenwerk)

Post productie
NEDA GUEORGUIEVA

Fotografie recepten en spreads
LIEKE HEIJN & PIM JANSWAARD (Cameron studio)

Styling recepten en spreads
LIEKE HEIJN (Cameron studio)

Culinaire realisatie
YVONNE JIMMINK & JACQUELINE PIETROWSKI

Met dank aan
FILIPPA K AMSTERDAM, RAAK AMSTERDAM, BLACKBIRD COFFEE, KIMM BAKKERS,
YVONNE BROK, BAS JONKER, PIET JONKER, HISTORISCHE BOUWMATERIALEN IN BAAMBRUGGE,
STEF KROON EN GIJS STORK, TANJA TERSTAPPEN EN STELLA WILLING.

ISBN 978 90 00 34101 6
NUR 860, 440

Eerste druk, juni 2014
Vijftiende druk, 2016

© 2014 Rens Kroes

© 2014 Nederlandstalige uitgave: Uitgeverij Unieboek | Het Spectrum bv, Houten – Antwerpen

Dit boek is ook leverbaar als ebook: isbn 9789000341023

www.unieboekspectrum.nl
facebook.com/dekookboeken

www.renskroes.com

Facebook.com/renskroes   @renskroes   @renskroes

Spectrum maakt deel uit van
Uitgeverij Unieboek | Het Spectrum bv
Postbus 97 | 3990 DB Houten

Bronnen
Superfood recepten. van der Velde, J & de Kroon, A : Spectrum, 2013, Houten
Dumonts kleines Lexikon Heilmittel: Inhaltsstoffe, Heilwirkung, Anwendung, 2003 Keulen
De complete keukengids kruiden en specerijen Bültjer, U: Zuidnederlandse Uitgeverij, 2002

Inhoud

*H*et is niet zo gek dat ik geïnteresseerd ben in goed en puur eten. Ik weet niet beter. Wij waren dé biologische familie uit *Eastermar,* een klein dorpje in Friesland.Mijn *pake* was de eerste biologische boer, mijn *beppe* was kruidenvrouw en mijn moeder is voedingsdeskundige. Gezond eten is me dus letterlijk met de paplepel ingegoten.

Op mijn negentiende verruilde ik Friesland voor New York. *Oh my!* De tijd van mijn leven. Op hoge hakken ging ik naar de hipste feestjes, waar ik nachtenlang danste met celebs. Overdag studeerde ik en was ik bewust bezig met voeding en met mijn lichaam. New York is wat dat betreft een walhalla, de stad inspireert me nog altijd. De *raw food*-beweging was er populair, ik ontdekte elke dag nieuwe eettentjes (en dus nieuwe gerechten) en ik deed mijn boodschappen bij biologische winkels. Als ik in de *lecture hall* ging studeren, sleepte ik bakjes met zelfgemaakte salades, noten en verse shakes mee. Typisch een Nederlandse in New York! In het begin werd ik raar aangekeken, maar al snel deden mijn vrienden met me mee. Na een heerlijk jaar in The Big Apple verhuisde ik terug naar Nederland, naar Amsterdam. Ik ging in een obesitaskliniek werken. Daar kwam ik in aanraking met de psychische kant van eten. Toen wist ik het zeker: ik wil mensen helpen met een gezond eet- en leefpatroon. Ik geloof dat de combinatie van gezonde voeding, voldoende beweging én ontspanning zorgt voor een fit en gelukkig leven. De *holy triangle* noem ik het. Een *happy life* bereik je niet met een crashdieet, maar wél door lekker en gezond te eten, goed voor jezelf te zorgen en vooral... te genieten. Ik ben voorstander van biologisch voedsel, omdat het onbespoten en onbewerkt is. Niet alleen is de smaak puur en lekkerder, je lichaam hoeft ook niet onnodig gifstoffen te lozen. Naast goed eten en bewegen ben ik ervan overtuigd dat relaxen essentieel is. Lief zijn voor je lijf, maar ook jezelf een chillavondje gunnen met een goede film, een dinertje met vrienden of een nachtje dansen. Op dat soort momenten haal ik zelf even diep adem en kan ik niets anders dan met een glimlach voelen wat een heerlijk leven ik heb. Dát is voor mij ultieme ontspanning.

Oké. *Ready for action!* Is het meer gedoe, dat gezonde koken? Ja, eerlijk is eerlijk, het kost natuurlijk meer tijd dan een kant-en-klare maaltijd in de magnetron schuiven. Maar juist omdat je met zoveel aandacht je eten bereidt, ga je het nog meer waarderen. Houd er rekening mee dat het even duurt voor je aan je nieuwe levensstijl gewend bent. Dat is oké. Als je het doet uit liefde voor jezelf en voor je lijf, merk je na een tijdje vanzelf dat het goed voelt. Schiet vooral niet in de stress als het een dagje niet lukt. Gun jezelf de tijd om in de juiste *flow* te komen. Ik ga altijd uit van een maand of drie. Daarna zijn je lichaam en je geest eraan gewend. Dan kun je best weer eens uit de band springen. Dat doe ik zelf ook, hoor. *I love to go out!* Het liefst met een glaasje champagne (of twee) en een patatje midden in de nacht. Gezond? Niet zo, natuurlijk. Maar van zo'n avond word ik wel *instant happy* en dat is zo belangrijk.

Het is echt prima om af en toe te genieten van de dingen die iets minder gezond voor je zijn. Je merkt snel genoeg wat het effect is op je lichaam en wilt waarschijnlijk gauw weer terug naar je gezonde lifestyle.

Om dit boek samen te stellen heb ik uren in de keuken doorgebracht om te proeven, te variëren en te testen. Het resultaat is een verzameling van *my favorites*. Van smoothies to go, ontbijtjes die je gelukkig maken, simpele salades en pasta's tot gezonde varianten op zondige zoetigheid. Ook vertel ik je over het effect van verschillende groenten, superfoods en andere ingrediënten op je lijf. Neem je tijd om lekker te kokkerellen, wees lief voor jezelf en boven alles: *enjoy!*

Rens Kroes

Voorwoord

Ontbijt

Kick start your day

Good morning! Elke dag begin ik in alle rust met een glas warm water en versgeperste citroen. Ik houd mijn tanden graag heel, dus dat drink ik door een rietje. Wat een lekkere oppepper! Dit kick start-drankje heeft een reinigend effect op je lichaam en geeft je instant energie. Na een relaxte start maak ik mijn ontbijt en kan de dag beginnen.

ONTBIJTMUFFINS

DEZE MUFFINS ZIJN STIEKEME *powerontbijtjes*, GEHULD IN EEN *zoet* JASJE. VAAK BAK IK ER TIEN, DIE IK ALS *tussendoortje* SNOEP, MAAR OOK KAN MEENEMEN ALS ONTBIJT. DAN BESTEL IK ER ONDERWEG EEN LEKKERE KOFFIE BIJ. DAAR MAAK IK MEZELF ZÓ GELUKKIG MEE! DIT RECEPT IS MET *moerbeien*, MAAR JE KUNT ER OOK APPEL, BLAUWE BESSEN OF *jam* AAN TOEVOEGEN. OOK EEN LEKKER, *leuk* EN VOEDZAAM ONTBIJTJE VOOR *kinderen* TROUWENS.

BEREIDINGSTIJD
35 MINUTEN

INGREDIËNTEN
VOOR 10 MUFFINS
··· 100 G HAVERMOUT
··· 1 TL WIJNSTEENBAKPOEDER
··· 2 RIJPE BANANEN
··· 3 EIEREN
··· 2 TL KANEEL
··· 2 TL VANILLEPOEDER
··· SNUFJE ZOUT
··· 100 G ZWARTE GEDROOGDE
    MOERBEIEN

BENODIGDHEDEN
10 MUFFINVORMPJES, BLENDER

BEREIDING

Verwarm de oven voor op 180 °C. Doe alles behalve de moerbeien in de blender en mix het tot een glad geheel. Doe het mengsel in de kom en voeg de moerbeien toe. Roer alles goed door elkaar. Schep vervolgens 2 eetlepels van het mengsel in de vormpjes. Zet de gevulde vormpjes 30 min. in de oven en klaar is Kees! Neem af en toe wel even een kijkje om te zien of ze niet te donker worden.

CRUESLI

CRUESLI MAAK JE LEKKER ZELF. VEEL *gezonder!* IK STROOI HET OP MIJN HAVERMOUT OF IK EET HET MET WAT AMANDELMELK OF *geitenkwark.* HET VULT EN JE KRIJGT DIRECT VEEL *voedingsstoffen* BINNEN. ZONDER SUIKER OFANDERE TOEVOEGINGEN. DÁT IS PAS EEN *goed* ONTBIJT!

BEREIDINGSTIJD
CA. 60 MINUTEN

INGREDIËNTEN (1000 G)
- 250 G HAVERVLOKKEN
- 50 G WALNOTEN
- 50 G HAZELNOTEN
- 50 G AMANDELEN
- 50 G ZONNEBLOEMPITTEN
- 50 G SESAMZAAD
- 20 G HAVERZEMELEN
- 1 TL VANILLEPOEDER, ONGEZOET
- 200 G HONING
- 1 TL ZEEZOUT
- 120 G GESMOLTEN KOKOSOLIE
- 50 G GEDROOGDE ABRIKOZEN, OPTIONEEL
- 50 G GEDROOGDE BANANEN, OPTIONEEL

BEREIDING

Verwarm de oven voor op 160 °C. Meng in een grote kom de havervlokken, noten, pitten, zaden, haverzemelen en vanillepoeder. Los in een klein kommetje het zout op in 1 eetlepel heet water. Klop de honing en kokosolie erdoor. Voeg het mengsel toe aan de droge ingrediënten, meng zorgvuldig en spreid alles uit over een grote bakplaat. Zet de bakplaat 40 min. in het midden van de oven. Roer het mengsel elke 10 min. om. Zet de oven uit, zet de ovendeur half open en laat de cruesli in de oven helemaal afkoelen. Meng er dan eventueel het gedroogde fruit door. Bewaar de cruesli goed afgesloten.

HAVERMOUT MET BANAAN EN PRUIMEN

Havermout IS HOT! JE LICHAAM NEEMT HET GOED OP, JE HOUDT JE *hongergevoel* ERMEE IN TOOM EN JE KUNT HET *combineren* MET ALLE SOORTEN *vruchten*, NOTEN EN KRUIDEN. DIT RECEPT IS MET BANAAN, PRUIMEN, *kokos* EN KANEEL.

BEREIDINGSTIJD
CA. 15 MINUTEN

INGREDIËNTEN (2 PERSONEN)
··· 120 G HAVERMOUT
··· 1 BANAAN,
··· 600 ML AMANDEL- OF
    RIJSTMELK (ZIE BLZ. 156)
··· 2 MESPUNTJES KANEEL
··· 4 PRUIMEN OF 1 APPEL
··· 2 EL KOKOSRASP

BEREIDING

Doe de havermout, de helft van de banaan, geprakt, en de amandelmelk in een steelpan en breng het mengsel al roerend aan de kook. Laat het 5 min. doorkoken. Maak het kruidig door de kaneel eraan toe te voegen. Doe het geheel in twee kommetjes. Snijd de pruimen of appel en de rest van de banaan in kleine stukjes en leg ze erbovenop. Bestrooi ze vervolgens met kokosrasp. Bon appétit!

"Verwen jezelf met een goed ontbijt."

AMANDEL-POMPOENBROOD

OMDAT IK NIET VEEL BROOD EET, VIND IK HET *handig* OM VOOR DIT RECEPT EEN KLEINE CAKEVORM (VAN ONGEVEER 15CM) TE GEBRUIKEN. SOMS MAAK IK DRIE BROODJES IN ÉÉN KEER, WAARVAN IK ER DAN TWEE *invries.* HEEL HANDIG! ALS JE WEL EEN FLINKE *broodeter* BENT, KUN JE DIT RECEPT NATUURLIJK *verdubbelen* EN EEN GROTER BROOD MAKEN.

BEREIDINGSTIJD
85 MINUTEN

INGREDIËNTEN
··· 100 G GEROOSTERDE POMPOEN, GEPUREERD (1 KLEINE POMPOEN)
··· 1 EL GESMOLTEN KOKOSOLIE, PLUS EXTRA
··· 2 EL AGAVESIROOP, OPTIONEEL
··· 1 TL VANILLEPOEDER, ONGEZOET
··· 3 EIEREN
··· 120 G AMANDELMEEL
··· 1 TL WIJNSTEENBAKPOEDER
··· 2 EL POMPOENPITTEN
··· 1 EL LIJNZAAD
··· 1 TL KANEEL
··· 0,5 TL ZEEZOUT

BENODIGDHEDEN
BLENDER, CAKE- OF BROODVORM
VAN 15 CM

BEREIDING

Verwarm de oven voor op 180 °C. Snijd ondertussen de pompoen in tweeën, haal de pitten eruit en snijd 100 gram ervan in stukjes. Leg ze op een bakplaat en rooster ze met wat kokosolie 30-40 min. in de oven. Doe daarna de pompoen, eventueel de agavesiroop, vanillepoeder, eieren en kokosolie in de blender en mix alles fijn. Vet de brood- of cakevorm in met wat kokosolie. Schenk de inhoud van de blender in een kom en voeg de overige ingrediënten toe. Roer goed en giet het mengsel dan in de vorm. Bak het in 45 min. gaar in de oven. Serveer het warm met wat notenpasta (zie blz. 127) of wat chiajam (zie blz. 129). Of niets, want het is al smeuïg en zoet van zichzelf!

KICKSTART

DIT IS WAARSCHIJNLIJK HET LEKKERSTE EN *gezondste* ONTBIJT EVER! HET VULT ENORM EN IS HEERLIJK *romig*. HET PERFECTE *pre-work-outontbijt*, EEN SNELLE SNACK DIE JE EEN *boost* GEEFT OF EEN KICKSTART VOOR EEN LANGE, DRUKKE DAG.

BEREIDINGSTIJD
VOORBEREIDING:
4 UUR OF EEN NACHT
BEREIDING:
10 MINUTEN

INGREDIËNTEN (4 PERSONEN)
··· 130 G HAVERVLOKKEN, GEWEEKT
··· 100 G CASHEWNOTEN, GEWEEKT
··· 80 G DADELS
··· 1 EL KOKOSOLIE
··· 2 EL KOKOSRASP
··· 2 TL VANILLEPOEDER, ONGEZOET

BENODIGDHEDEN
BLENDER

BEREIDING

Laat de havervlokken en cashewnoten de avond ervoor (anders moet je wel heel vroeg op) of 4 uur in (gefilterd) water weken. Giet vervolgens het water af en doe alles in de blender. Voeg de overige ingrediënten toe en mix tot een romig geheel. Je kunt dit ontbijt eventueel nog leuk versieren met wat besjes.

"Ik dans mijn hoofd leeg en mijn hart vol."

QUINOA-ONTBIJT

EEN *sweet & sour* ONTBIJT. *Veganistisch*, MAAR DOOR DE QUINOA ZIT HET BOORDEVOL *eiwitten* ZODAT JE ER LANG OP KUNT TEREN. EEN LEKKERE START ALS JE EEN DRUKKE DAG VOOR DE BOEG HEBT. GUN JEZELF EEN *superrelaxte* OCHTEND EN ZET JE ONTBIJT DE AVOND VAN TEVOREN ALVAST KLAAR IN DE KOELKAST.

BEREIDINGSTIJD
15 MINUTEN

INGREDIËNTEN (2 PERSONEN)
··· 120 G QUINOA
··· 240 ML APPELSAP
··· SNUFJE ZEEZOUT
··· 1 EL CITROENSAP
··· 1 TL KANEEL
··· 2 DRUPPELTJES STEVIA
··· 1 EL GEMENGDE NOTENPASTA
··· WALNOTEN, STUKJES APPEL OF
    BLAUWE BESSEN, OPTIONEEL

BENODIGDHEDEN
BLENDER OF MIXER

BEREIDING

Was de quinoa schoon en verwarm het appelsap in een pan op middel-hoog vuur totdat het warm is. Doe de quinoa en het zout erbij en laat het op een laag vuur sudderen totdat het vocht opgenomen is. Doe de quinoa, het citroensap, de kaneel en stevia vervolgens in de blender of gebruik de mixer om alles fijn te malen. Schenk het mengsel in een kom en versier het met wat kaneel, walnoten, stukjes appel of blauwe bessen en de gemengde notenpasta. Je kunt het gelijk opeten of het eerst in de koel-kast laten afkoelen. Eet smakelijk!

CHIA-BANANENPUDDING

VEEL *food-inspiratie* HAAL IK UIT *New York*. TIJDENS MIJN VERBLIJF IN THE BIG APPLE ONTDEKTE IK DIT GEWELDIGE ONTBIJT. PUDDING KLINKT VET EN ONGEZOND, MAAR DEZE *variant* IS HET TEGENOVERGESTELDE. DIT *voedzame* EN LEKKER ZOETE GERECHT IS GOED VOOR JE *lijf* EN GEEFT EEN KICKSTART AAN JE DAG.

BEREIDINGSTIJD
4 UUR

INGREDIËNTEN (1 PERSOON)
⋯ 1 BANAAN
⋯ 250 ML AMANDELMELK
⋯ 1 EL HONING
⋯ 1/2 TL VANILLEPOEDER, ONGEZOET
⋯ 4 GROTE EL CHIAZAAD

BENODIGDHEDEN
BLENDER

BEREIDING

Mix de banaan, amandelmelk, honing en vanillepoeder in een blender tot een dik en romig geheel. Doe het mengsel in een kopje en voeg het chiazaad toe. Roer goed, zodat de zaden goed verdeeld worden. Zet het vervolgens minimaal 4 uur (of een nachtje) in de koelkast. Zodra het klaar is, doe ik het vaak in een pot met lagen jam, notenpasta en geitenkwark. Het eindresultaat is heerlijk als ontbijt, toetje of tussendoortje.

NOTEN

Noten zijn gezond. Ze zitten boordevol gezonde ingrediënten, zijn glutenvrij en een goede bron van proteïne, mineralen en gezonde vetten. Je hebt genoeg keus: walnoten, amandelen, pistachenoten, hazelnoten en cashewnoten. Een handje noten geeft mij snel een vol gevoel, een ideale snack dus. Ik maak er ook taartenbodems van. Altijd handig om een voorraadje noten in je keukenkast te hebben!

SWEET PANCAKES

I *love* ZOETIGHEID! EN IK GUN MEZELF OOK GEWOON AF EN TOE EEN *muffin*, EEN TAARTJE OF PANNENKOEKEN ALS ONTBIJT. VOORAL OP *zondag*. IK VIND HET HEERLIJK OM DAN MIJN LIEF – EN MEZELF – TE *verwennen* MET EEN UITGEBREIDE *brunch*. UITERAARD HEB IK WEL EEN *gezond* PANNENKOEKENRECEPT BEDACHT.

BEREIDINGSTIJD
20 MINUTEN

INGREDIËNTEN (CA. 6 PANNENKOEKEN)
⋯ 80 G QUINOA- OF BOEKWEITMEEL
⋯ 120 G HAVERVLOKKEN
⋯ 4 EIEREN
⋯ 400 ML RIJSTMELK, ONGEZOET
⋯ 2 EL KOKOSRASP
⋯ 20 G GEBROKEN LIJNZAAD
⋯ SNUFJE ZOUT
⋯ KOKOSOLIE

BENODIGDHEDEN
BLENDER

BEREIDING

Doe de eerste zeven ingrediënten in de blender en mix ze tot een glad beslag. Verhit een beetje kokosolie in een koekenpan, schenk er vervolgens een scheut beslag in en herhaal dat vijf keer.
Mijn beleg: ik besmeer ze met notenpasta, leg er wat stukjes banaan op, sprenkel er wat ahornsiroop over en bestrooi ze met wat kokosrasp en een handje gojibessen. Heerlijk om te delen met je geliefde.

POPEYE'S BREAKFAST

IK BEGIN DE DAG MINIMAAL *één keer per week* MET DEZE GROENE SPINAZIESMOOTHIE. KLINKT MISSCHIEN GEK ALS ONTBIJT, MAAR DE GROENE BLAADJES ZITTEN BOMVOL *vitaminen* EN MINERALEN. MET DIT ONTBIJT GEEF JE JE LIJF ECHT EEN *shot of health!* WEINIG TIJD 'S OCHTENDS? MIX DE *smoothie* ALVAST VOOR JE GAAT SLAPEN EN BEWAAR HEM IN EEN TO GO-BEKER, DIE JE DE VOLGENDE DAG ALLEEN MAAR UIT DE KOELKAST HOEFT TE GRISSEN.

BEREIDINGSTIJD
10 MINUTEN

INGREDIËNTEN (CA. 500 ML)
··· 1/2 BANAAN
··· 1/2 SCHIJF ANANAS
··· 1/2 APPEL
··· SAP VAN 1 LIMOEN
··· SAP VAN 1/2 GRAPEFRUIT
··· SAP VAN 1 SINAASAPPEL
··· 40 G SPINAZIE
··· 1 TL CHLORELLAPOEDER
··· 1 EL EIWITPOEDER

BENODIGDHEDEN
BLENDER

BEREIDING
Doe eerst het fruit in de blender, vervolgens de spinazie erbovenop en mixen maar. Zodra het geheel romig is, schep je de chlorella- en eiwit-poeder erin en laat je de blender nog een paar seconden draaien zodat het goed mengt. Meer smoothie-inspiratie? Zie blz. 146

De cake blijft wat vochtig.

BREAKFAST CAKE

ALS IK WEET DAT IK EEN *drukke week* VOOR DE BOEG HEB, BAK IK DEZE CAKE IN *het weekend*. ELKE OCHTEND KAN IK DAN EEN DIKKE PLAK AFSNIJDEN. *Supersimpel*. SUPERLEKKER. SUPERVOEDZAAM. KORTOM: HET *perfecte* ONTBIJT!

BEREIDINGSTIJD
30 MINUTEN

INGREDIËNTEN (4 PERSONEN)
··· 4 EIEREN
··· 4 GROTE BANANEN
··· 120 G HAVERVLOKKEN
··· 2 TL KANEEL
··· 1 TL VANILLEPOEDER, ONGEZOET
··· 1 HANDJE GEDROOGDE MOERBEIEN
··· 1 HANDJE GEDROOGDE GOJIBESSEN

BENODIGDHEDEN
BLENDER, CAKEVORM VAN 30CM

BEREIDING

Verwarm de oven voor op 180 °C. Doe alle ingrediënten, behalve de moerbeien en bessen, in de blender en mix tot de inhoud dik en romig is. Schenk het mengsel in een kom en doe de rest van de vruchten erbij. Roer goed! Doe vervolgens de massa in een cakevorm, ingevet met kokosolie, en zet deze in de oven. Na 25 min. is je cake klaar.

Lunch

Lunch break is always a good idea

Een goede lunch is heel belangrijk. Als je de tijd neemt om voedzaam te eten, kun je de hele middag weer door! Niet alleen geef je je lijf nieuwe energie, je lunchmoment is ook een fijne break van je dagelijkse bezigheden. Ook al heb ik het druk, ik geniet er altijd even heel bewust van.

QUINOASUSHI

All you can eat! GEEN GRAP, WANT DEZE SUSHI IS ONTZETTEND GEZOND. NEEM LEKKER EEN *middagje* DE TIJD OM DE SUSHI TE ROLLEN. HEEL *ontspannen* EN GEZELLIG MET JE LOVER OF MET *vriendinnen*. LEUK ALS ORIGINELE *traktatie*, MAAR OOK LEKKER VOOR EEN *romantisch* AVONDJE OF ALS SNACK NA HET SPORTEN.

BEREIDINGSTIJD
25 MINUTEN

INGREDIËNTEN (4 SUSHIROLLS)
··· 200 G QUINOA
··· 1 BIOLOGISCH VEGETARISCH
    BOUILLONBLOKJE
··· 150 G BIOLOGISCHE TOFOE EN/OF
    100 G ZALM OF TONIJN
··· 1 AVOCADO
··· 1/2 KOMKOMMER
··· 1 GROTE WORTEL
··· 4 NORIVELLEN
··· MAYONAISE (ZIE BLZ. 132),
    OPTIONEEL
··· SESAMOLIE
··· CAYENNEPEPER, OPTIONEEL
··· 4 EL BIOLOGISCHE SOJASAUS
··· 4 TL WASABI

BENODIGDHEDEN
ROLMATJE, MAAR HET KAN OOK
ZONDER (CHALLENGE!)

BEREIDING

Spoel de quinoa schoon en kook het in water met het bouillonblokje gaar volgens de aanwijzingen op de verpakking en laat hem afkoelen. Was ondertussen de tofoe en/of vis en snijd deze samen met de avocado, komkommer en wortel in mooi gelijke, dunne stroken (ongeveer zo lang als het norivel). Verdeel een kwart van de quinoa over het vel en besmeer het eventueel met mayonaise. Leg de stroken tofoe of vis, avocado, komkommer en wortel dicht op elkaar over de lengte van het norivel. Besprenkel het met wat sesamolie en eventueel met wat cayennepeper als je van pittig houdt. Rol het vel nu met de hand of een matje op tot een strakke rol en maak het vrije stukje vel aan het eind wat vochtig om het geheel dicht te plakken. Gebruik een scherp mes om de rol te snijden. Serveer de sushi met een dip van sojasaus en wasabi. Je kunt verschillende rollen maken met andere ingrediënten. Je kunt het zo gek maken als je zelf wilt. Erg leuk om mee te experimenteren!

CRUNCHY CRACKERS

ALS JE ZELF JE CRACKERS MAAKT, WEET JE PRECIES WAT ERIN ZIT EN KUN JE ZE *voedzamer* MAKEN DAN HET KNÄCKEBRÖD DAT JE IN DE SUPERMARKT KOOPT. EN ZE ZIJN OOK NOG EENS VEEL LEKKERDER! DEZE HEERLIJKE KNAPPERIGE *broodvervangers* EET IK VAAK ALS LUNCH, MET *hummus* OF ZELFGEMAAKTE *guacamole*.

BEREIDINGSTIJD
CA. 60 MINUTEN

INGREDIËNTEN (CA. 10 CRACKERS)
··· 3 VOLLE EL POMPOENPITTEN
··· 3 VOLLE EL ZONNEBLOEMPITTEN
··· 3 VOLLE EL LIJNZAAD
··· 7 EL SESAMZAAD
··· 3 VOLLE EL GEPOFTE AMARANTH
··· 3 VOLLE EL HAVERMOUT
··· 80 G ROGGEMEEL
··· 90 G BOEKWEITMEEL
··· 1 TL WIJNSTEENBAKPOEDER
··· 1 1/2 TL ZOUT
··· 2 EL KOKOSOLIE
··· 125 ML WATER

BEREIDING

Verwarm de oven voor op 170°C. Doe alle ingrediënten in een kom en voeg al roerend beetje bij beetje 125 ml water toe (of totdat het deeg een beetje gaat plakken). Leg een stuk bakpapier op een bakplaat, spreid het deeg hierop uit en rol het plat met een deegroller. Snijd met een mes het deeg in kleine langwerpige rechthoeken. Zet de bakplaat in de oven en bak de crunchy crackers 45 min. Serveer ze met hummus (zie blz. 128) of ander hartig beleg. Enjoy!

REGENBOOGSALADE

HOE MEER *kleur* WE ETEN VAN ONBEWERKT VOEDSEL, DES TE MEER VARIATIE IN *voedingsstoffen* WE BINNENKRIJGEN. HEEL GEZOND DUS, DEZE *rainbow* SALAD. ALS ER VEEL KLEUR OP JE BORD LIGT, EET JE VAAK MEER EN DAT KAN PRIMA MET DEZE SALADE. IK *eet 'm vaak* MET EEN CRUNCHY CRACKER.

BEREIDINGSTIJD
40 MINUTEN

INGREDIËNTEN SALADE (1 PERSOON)
··· 50 G LINZEN
··· ZEEZOUT
··· 1 GROTE WORTEL
··· 1 AVOCADO
··· 8 CHERRYTOMAATJES
··· 1/2 COURGETTE
··· 2 GROTE EL HUMMUS (ZIE BLZ. 128)

INGREDIËNTEN SOUR SALAD DRESSING
··· 1 EL CITROENSAP
··· 1 TL TAHIN (ZIE BLZ. 143)
··· 1 TL APPELAZIJN
··· 3 EL OLIJFOLIE
··· 1 TL HONING
··· ZOUT EN ZWARTE PEPER

BENODIGDHEDEN
SPIRAALSNIJDER

BEREIDING

Breng de linzen aan de kook in een halve liter water. Kook ze in 30 tot 35 min. gaar. Giet daarna de linzen af en voeg een snufje zeezout toe. Rasp de wortel, snijd de avocado en tomaatjes in stukjes en snijd de courgette in spaghettislierten met een spiraalsnijder. Pak een mooi groot bord of schaal en leg groenten zo neer als je ze op de foto ziet. Schep de hummus ergens in het midden. Maak vervolgens de dressing door de ingrediënten in een schaaltje te doen. Roer goed en schenk wat over je lekkere, kleurrijke salade. Enjoy your colorful lunch!

"Een voedzame gezonde lunch helpt mij om ongezonde snacks te weerstaan."

BIETENSALADE

DIT RECEPT WAS OOIT EEN *toevalstreffer*. IK WILDE BIJ MIJN OUDERS IN FRIESLAND EEN *snelle* SALADE IN ELKAAR DRAAIEN EN IK ZOCHT ZOMAAR WAT INGREDIËNTEN BIJ ELKAAR DIE IK IN DE KEUKEN KON VINDEN. DE SALADE IS EEN LEKKE- RE COMBINATIE VAN *hartig* EN *zoet*, EN VULT LEKKER. GEEN TIJD? BIJ DE SUPERMARKT KUN JE *gekookte* BIETJES KOPEN. DAN BEN JE NOG SNELLER KLAAR.

BEREIDINGSTIJD
CA. 60 MINUTEN

INGREDIËNTEN (CA. 4 PERSONEN)
··· 500 G KLEINE BIETJES
··· 100 G (RODE) QUINOA
··· 1 BIOLOGISCH BOUILLONBLOKJE
··· 1 SJALOTJE
··· 2 TL ROZEMARIJN
··· 2 TL GEELWORTEL
··· ZEEZOUT EN ZWARTE PEPER
··· 3 TEENTJES KNOFLOOK
··· 1 CM GEMBERWORTEL
··· 150 G FETA, IN BLOKJES
··· 3 TAKJES VERSE TIJM
··· HANDVOL WALNOTEN, GEHAKT
··· 1 KLEINE EL HONING

BENODIGDHEDEN
VIJZEL

BEREIDING

Kook de bietjes in 40 min. gaar en laat ze afkoelen. Spoel ondertussen de quinoa schoon en kook hem in water met het bouillonblokje gaar en droog en laat hem koud worden. Snijd daarna de bietjes en het sjalotje in stukjes en doe ze samen met rozemarijn, geelwortel, zout en peper in de kom. Knijp vervolgens de knoflook en gember met een pers fijn, en verkruimel de feta. Hussel alles goed door elkaar met een grote lepel. Wrijf de verse tijm stuk met een vijzel en strooi hem samen met de gehakte walnoten over de salade. Maak de salade wat zoeter door er wat honing overheen te druppelen.

BIETEN

Ik eet vaak bieten, heb ze dan ook altijd
in huis. Rauw, gekookt, warm of koud,
met deze gezonde groente kun je echt
alle kanten op. Ik maak er bietensap
van. Heerlijk zoet voor in mijn sapje en
het geeft het een mooie kleur. Je kunt
er ook een lekkere soep van maken of in
een salade werken. Heel veelzijdig, heel
gezond.

WRAPS MET KIP-KERRIESALADE

KIP-KERRIESALADE IS NIET HET MEEST GEZONDE *beleg* DAT JE KUNT BEDENKEN. TENZIJ JE HET ZELF MAAKT MET GEZONDE INGREDIËNTEN. VETTE MAYO IS HELEMAAL NIET NODIG. *Superlekker* OP EEN RIJSTWAFEL, MAAR OOK IN DEZE *wraps*. ALS *lovely lunch* VOOR JEZELF. OF ALS GEZELLIGE SNACK OM TE DELEN.

BEREIDINGSTIJD
30 MINUTEN

INGREDIËNTEN (CA. 8 WRAPS)
··· 300 G BIOLOGISCHE KIPFILET
··· 1 TL KERRIEPOEDER
··· 1 TL GEELWORTEL
··· 1 TL KNOFLOOKPOEDER
··· 1 TL LAOSPOEDER
··· 1 EL KOUDGEPERSTE OLIJFOLIE
··· 1/2 UI
··· 150 G CHAMPIGNONS
··· 150 G CHERRYTOMAATJES
··· 7 G KORIANDER
··· KOKOSOLIE
··· 2 AVOCADO'S
··· 1 EL BIOLOGISCHE GEITENKWARK
··· 2 TEENTJES KNOFLOOK
··· HIMALAYAZOUT EN ZWARTE PEPER
··· CA. 8 STEVIGE SLABLADEREN
··· 10 KLEINE AUGURKJES, TER
    GARNERING

BEREIDING

Maak de kipfilet met water schoon en marineer hem met de poeders en een scheutje olijfolie. Laat de filet even staan en snijd de ui en champignons in stukjes, de tomaatjes doormidden en de koriander fijn. Bak de kipfilet en de champignons in wat kokosolie gaar en snijd de kip in heel kleine stukjes. Doe de avocado's samen met de kwark, ui en de kip in een kom, knijp de knoflook fijn en meng alles door elkaar. Voeg de rest van de ingrediënten toe en hussel alles goed door elkaar. Breng de salade op smaak met Himalayazout en zwarte peper. Schep de salade in de slabladeren en doe de augurkjes erop.

Tip! Ook heerlijk met stukjes pure chocolade of een handjevol bosbessen.

BANANENBROOD

DIT BROOD IS *té lekker*. ALS ONTBIJT (MET JAM VOOR DE LIEFHEBBER) OF ALS SNACK BIJ EEN GROTE KOP *thee*. ZOET, *smeuïg*, MAAR WEL HEEL GEZOND ÉN *glutenvrij*.

BEREIDINGSTIJD
VOORBEREIDING: 8 MINUTEN
BEREIDING: CA. 60 MINUTEN

INGREDIËNTEN
··· 200 G BOEKWEITMEEL
··· 2 TL WIJNSTEENBAKPOEDER
··· 1 TL KANEEL
··· 60 ML SUIKERVRIJE APPELMOES
··· 3 BANANEN, GEPUREERD
··· 1 TL VANILLEPOEDER, ONGEZOET
··· 3 EIEREN
··· SNUFJE HIMALAYA- OF ZEEZOUT
··· 1 EL KOKOSVET

BENODIGDHEDEN
CAKEVORM VAN 20X10 CM

BEREIDING
Verwarm de oven voor op 180 °C. Meng alle ingrediënten behalve het kokosvet in een kom en roer alles met een garde door elkaar. Vet de cakevorm in met kokosvet. Schenk het beslag in de vorm en bakken maar! In 45 min. is het brood klaar. Het brood is nog smeuïger als het een nacht of twee in de koelkast heeft gestaan.

HARTIGE PANNENKOEK

IK BEN *dol* OP PANNENKOEKEN! NIET ALLEEN DE ZOETE VARIANT MET *appel* EN STROOP, MAAR JUIST OOK DE HARTIGE VERSIE. IK EET PANNENKOEKEN ZOWEL WARM ALS *koud* EN IK MAAK ER VAAK EEN WRAP VAN. JE KUNT EIGENLIJK *oneindig* VARIËREN, MAAR DEZE VARIANT MET *geitenkaas*, PESTO EN SAMBAL IS MIJN *lievelings*.

BEREIDINGSTIJD
CA. 45 MINUTEN

INGREDIËNTEN VOOR 1 PANNENKOEK
⋯ 5 AFGESTREKEN EL BOEKWEIT-,
   QUINOA- OF SPELTMEEL
⋯ SNUFJE HIMALAYA- OF ZEEZOUT
⋯ 1 EI
⋯ 4 EL AMANDELMELK (ZIE BLZ. 156)
⋯ 1 TL KOKOSOLIE

INGREDIËNTENBELEG
⋯ 1 GROTE PLAK GEITENKAAS
⋯ 2 TL PESTO (ZIE BLZ. 131)
⋯ 2 GROTE IJSBERGSLABLADEN
⋯ 6 GESNEDEN CHERRYTOMAATJES
⋯ 1 TL GELE SAMBAL (ZIE BLZ. 142)
⋯ ZOUT EN ZWARTE PEPER

BENODIGDHEDEN
GARDE OF MIXER

BEREIDING

Roer het meel met een mespunt zout door elkaar. Maak een kuiltje in het midden en breek het ei erboven. Voeg de amandelmelk toe en roer alles met een garde of mixer tot een glad beslag. Laat het beslag 30 min. rusten. Verhit de kokosolie in een koekenpan en giet het beslag erin. Laat de pannenkoek op middelhoog vuur circa 3 min. bakken tot de onderkant gekleurd en de bovenkant droog is. Keer met behulp van een spatel de pannenkoek om en laat de onderkant in circa 1 min. goudbruin bakken. Leg de pannenkoek vervolgens op een bord en laat hem 5-10 min. afkoelen. Beleg de pannenkoek daarna met de geitenkaas, pesto, sla en gesneden tomaatjes en breng het geheel op smaak met wat gele sambal, zout en zwarte peper. Rol de pannenkoek op en eet smakelijk!

"food lovers are
life lovers."

OSAWACAKE

HEERLIJK RECEPT VOOR BIJ DE *koffie*. ZOET, VULLEND, SMEUÏG EN VOL MET *noten* EN GEDROOGDE *vruchten*. TÉ LEKKER EN *voedzaam*, DEZE OSAWACAKE. SINDS IK HEM ONTDEKT HEB, MAAK IK HEM TE PAS EN TE ONPAS. IK EET ZELFS REGELMATIG EEN DIKKE PLAK ALS ONTBIJT.

⌘

BEREIDINGSTIJD
80 MINUTEN

INGREDIËNTEN (CA. 12 STUKKEN)
··· 150 G ROZIJNEN
··· 200 G ZILVERVLIESRIJST
··· 2 EL KOKOSOLIE
··· 9 EL GEROOSTERD SESAMZAAD
··· 150 G HAZELNOTEN
··· 125 G SPELTMEEL
··· 6 GEDROOGDE ABRIKOZEN OF
    VIJGEN, IN STUKJES
··· 180 ML BIOLOGISCH DIKSAP
··· 100 G HAVERMOUT
··· 1 TL VANILLEPOEDER, ONGEZOET
··· 2 1/2 EL KANEELPOEDER
··· 1 TL ZEEZOUT

BENODIGDHEDEN
CAKEVORM VAN 30 CM

BEREIDING

Week de rozijnen 20 min. in water. Verwarm de oven voor op 180 ºC. Spoel de rijst schoon en kook hem gaar. Ondertussen vet je een cakevorm in met kokosolie. Verspreid driekwart van het sesamzaad in de vorm, zodat de bodem en zijkanten bedekt zijn. De noten rooster je even op hoog vuur in een droge koekenpan. Als de rijst gaar is, meng je hem met de rest van de ingrediënten tot een plakkerige massa (niet te droog, maar ook niet te vloeibaar). Doe het mengsel in de vorm en druk het goed aan. Strooi het overgebleven sesamzaad over de bovenlaag. De cake bak je in de voorverwarmde oven in 45-60 min. gaar. Geniet ervan!

Serveer met een extra kommetje sojasaus, zodat je de sushi erin kunt dippen.

SUSHIROLLS MET HOMEMADE HUMMUS

Traditionele SUSHI ALS LUNCH IS EEN GEZONDE VARIANT OP JE HOLLANDSE BAMMETJE KAAS. JE KUNT DEZE JAPANSE DISH MAKKELIJK ZELF MAKEN EN DAT WORDT *nóg* LEKKERDER ALS JE ER *homemade hummus* AAN TOEVOEGT. IK NEEM DEZE HUMMUSROLLS VAAK MEE ALS LUNCH, MAAR JE KUNT ZE OOK *bewaren* IN DE KOELKAST EN ER AF EN TOE *één* SNACKEN.

BEREIDINGSTIJD
30 MINUTEN

INGREDIËNTEN (4 STUKS)
- 200 G ZILVERVLIESRIJST
- 1 VEGETARISCH BOUILLONBLOKJE
- 1/2 WORTEL
- 1/2 AVOCADO
- 1/4 KOMKOMMER
- 4 NORIVELLEN
- 4 EL HOMEMADE HUMMUS (ZIE BLZ. 128)
- 4 TL SOJASAUS, PLUS EXTRA VOOR HET DIPPEN
- ZEEZOUT EN ZWARTE PEPER
- 1 EL SESAMZAAD

BEREIDING

Kook de rijst met het bouillonblokje in ruim water gaar, totdat het plakt. Snijd ondertussen de wortel, avocado en komkommer in lange, dunne reepjes. Leg een norivel diagonaal op een bord met de glanzende kant naar beneden. Schep twee eetlepels rijst diagonaal in het midden, gevolgd door gelijke hoeveelheden van de groenten, een eetlepel hummus en een theelepel sojasaus. Breng het geheel op smaak met zeezout en zwarte peper en rol het norivel op als een ijshoorntje, vanaf de linkerkant. Dit herhaal je totdat de ingrediënten op zijn. Besprenkel met sesamzaad, wikkel de sushi in folie, et voilà!

QUINOASALADE

ALS IK EEN SALADE MAAK, LAAT IK MIJN *fantasie* VAAK DE VRIJE LOOP. ZEKER MET QUINOA KUN JE LEKKER *combineren*. MAAR DIT IS MIJN FAVORIET. *Supersnel* KLAAR EN LEKKER OM IN DE *zomer* MEE TE NEMEN NAAR HET *park*.

BEREIDINGSTIJD
35 MINUTEN

INGREDIËNTEN (CA. 4 PERSONEN)
··· 180 G QUINOA
··· 1 VEGETARISCH BOUILLONBLOKJE
··· 3/4 KOMKOMMER
··· 200 G CHERRYTOMAATJES
··· 1 AVOCADO
··· 4 EL OLIJVEN
··· 1 LENTE-UITJE
··· 1 KLEINE RODE UI
··· 150 G FETABLOKJES
··· 2 TEENTJES KNOFLOOK
··· 3 EL FIJNGEHAKTE KORIANDER
··· ZOUT EN ZWARTE PEPER
··· 1 TL CITROENSAP
··· 1 EL OLIJFOLIE
··· HANDJE RUCOLA

BEREIDING

Was de quinoa en kook hem met ongeveer 300 ml water en een bouillon-blokje gaar en laat hem afkoelen. Snijd de komkommer, tomaatjes, avoca-do, olijven en uien in kleine stukjes, verkruimel de feta, knijp de knoflook uit en voeg alles samen met de koriander toe aan de quinoa. Breng op smaak met zout en peper en besprenkel met citroensap en olijfolie. Hussel alles met een lepel door elkaar. Voeg als laatste wat rucola toe. Je kunt de salade meteen opdienen of afgedekt in de koelkast bewaren voor later.

Diner

Good things take time

*Ik dineer het liefst licht,
want 's avonds staat je
verbranding op een lager pitje.
Je hebt vaak wel een drukke dag
achter de rug, dus is het goed om
sowieso voedzaam te eten. Na een
lange dag plof ik niet op de bank,
maar duik ik juist meteen de
keuken in om met aandacht een
lekker gerecht te maken.*

SAOTOSOEP

HOEWEL IK EEN GEBOREN EN GETOGEN *Friesin* BEN, VERSLIND IK *exotische* GERECHTEN. DEZE SOEP IS VAN OORSPRONG *Javaans* EN WORDT VEEL BEREID IN DE SURINAAMSE KEUKEN. TOEN IK KLEIN WAS, AT IK EENS IN DE ZOVEEL TIJD BIJ EEN SURINAAMS GEZIN EN DAAR ONTDEKTE IK SAOTOSOEP. JE KUNT DE SOEP ZO *vullend* EN *pittig* MAKEN ALS JE ZELF WILT.

∽

BEREIDINGSTIJD
RUIM EEN UUR

INGREDIËNTEN (4 PERSONEN)
··· 3 BIOLOGISCHE KIPFILETS
··· 2 LITER WATER
··· 1 UI
··· 4 TEENTJES KNOFLOOK
··· 1 GROENTEBOUILLONBLOKJE
··· 2 KIPPENBOUILLONBLOKJES
··· 2 LAURIERBLAADJES
··· 1 EL ZOETE KETJAP
··· 1 TL LAOS
··· 1/2 TL GEMBERPOEDER
··· ZEEZOUT EN ZWARTE PEPER
··· 80 G BASMATIRIJST
··· 4 HARDGEKOOKTE EIEREN
··· 1/2 BAKJE TAUGÉ
··· 1 TL GEDROOGDE PETERSELIE
··· 1 TL GELE SAMBAL, OPTIONEEL

BEREIDING

Doe de kipfilets in een pan en giet het water erbij. Snijd de ui grof, knijp de knoflookteentjes uit en doe alles bij het water in de pan. Doe ook de bouillonblokjes, laurierblaadjes, ketjap, laos en de gemberpoeder erbij en voeg naar smaak zeezout en peper toe. Breng het geheel aan de kook. Draai het vuur laag zodra het water kookt, doe een deksel op de pan en laat hem minimaal een uur op laag vuur staan zodat zich een lekkere bouillon vormt. Haal de kipfilets na een uurtje uit de pan en pluk ze met behulp van twee vorken in stukjes. Kook ondertussen de rijst volgens de aanwijzingen op de verpakking gaar en snijd de eieren alvast in vieren. Leg in het midden van een soepbord een beetje rijst en drapeer hierover de taugé en de kip. Giet de soep erover en leg de eitjes op de rand van het bord. Bestrooi met zwarte peper en gedroogde peterselie. Doe er eventueel nog wat gele sambal (zie blz. 142) bij voor de pittige smaak. En je kunt er lekkere dunne patatjes van zoete aardappel (zie blz. 95) bij geven. Altijd goed!

GEVULDE PORTOBELLO'S

BIJ EEN LEKKER *uitgebreid* DINERTJE IS DIT ZO'N TYPISCH VOORGERECHT WAAR JE JE GASTEN MEE *impresst.* MAAR STIEKEM MAAK IK DEZE GEVULDE PORTOBELLO'S OOK WEL EENS OP EEN *doordeweekse* AVOND. GEWOON, OMDAT HET KAN. MIJN VRIEND EN IK DELEN ZE TOTDAT WE NIET MEER KUNNEN. DE REST PIEP IK DE VOLGENDE DAG OP IN DE OVEN EN EET IK ALS IK *lunch.*

BEREIDINGSTIJD
30 MINUTEN

INGREDIËNTEN (6 PORTOBELLO'S)
··· 150 G BOEKWEIT
··· 1 BIOLOGISCH KIPPENBOUILLONBLOKJE
··· 6 PORTOBELLO'S
··· OLIJFOLIE, OM TE BESPRENKELEN
··· 1 RODE UI
··· 3 TEENTJES KNOFLOOK
··· 1 TL KOKOSOLIE
··· 1 EL BIOLOGISCHE WITTE WIJN
··· 100 G KLEINE DOPERWTEN
··· 1 VOLLE TL DROGE OREGANO
··· 2 TL PESTO (ZIE BLZ. 131)
··· ZEEZOUT EN ZWARTE PEPER
··· HARDE GEITENKAAS
··· 6 BLAADJES BASILICUM

BENODIGDHEDEN
OVENSCHAAL

BEREIDING

Spoel de boekweit schoon en doe hem in een pan. Doe het bouillonblokje erbij en twee keer zoveel water als boekweit. Kook de boekweit zachtjes in ongeveer 30 min. droog. Verwarm ondertussen de oven voor op de hoogste grillstand. Maak de portobello's schoon en snijd de harde steeltjes eruit. Leg ze met de bolle kant naar onder in de ovenschaal en besprenkel ze met wat olijfolie. Zet ze 8 min. onder de grill; keer ze na 4 min. om. Snijd de ui en knoflook in stukjes en fruit ze 2 min. met een theelepel kokosolie op een laag vuurtje. Doe dan de wijn, boekweit, doperwten, oregano, pesto en wat zout en peper erbij. Roer alles 2 min. en zet dan het vuur uit. Proef eventueel of het zout genoeg is. Leg de portobello's op een mooie schaal en schep op ieder twee eetlepels van het boekweitmengsel. Maak het af door er wat geitenkaas over te strooien, besprenkel ze met wat olijfolie en leg er een blaadje basilicum op. Serveren maar!

CHAMPIGNONS

Champignons zijn een smaakvolle toevoeging aan de maaltijd en ze bevatten
belangrijke stoffen als ijzer en calcium.
Je kunt ze bakken, stoven, grillen en
koken. Champignons zijn ook een bron
van eiwitten en daarom zijn het goede
vleesvervangers. Leuk om te weten:
champignons zijn geen groente, maar
een schimmel. A healthy schimmel,
dat wel!

POMPOENSOEP

POMPOEN IS EEN TYPISCHE *herfstgroente*. HIJ IS ER DAN IN OVERVLOED. DE GROENTE IS *zoet*, ZACHT, SNEL GAAR, EN JE KUNT ER HEEL *creatief* MEE ZIJN. IK GEBRUIK HEM VAAK IN *risotto*, ALS PUREE OF IN EEN OVENSCHOTEL. MAAR OP EEN *rainy* HERFSTDAG DUIK IK HET LIEFST DE KEUKEN IN OM EEN GROTE PAN POMPOENSOEP TE MAKEN.

BEREIDINGSTIJD
CA. 40 MINUTEN

INGREDIËNTEN (4 PERSONEN)
··· 1 RODE UI
··· 3 TEENTJES KNOFLOOK
··· 1 EL KOKOSOLIE
··· 1 1/2 LITER WATER
··· 2 GROENTEBOUILLONBLOKJES
··· 1 1/2 KG POMPOEN
··· 1 COURGETTE
··· 2 TL KERRIEPOEDER
··· MESPUNTJE GEMBERPOEDER
··· MESPUNTJE CAYENNEPEPER
··· MESPUNTJE LAOS
··· 1 TL GEDROOGDE OREGANO
··· 4 EL FIJNGEHAKTE KORIANDER
··· 1 SCHEUTJE BIOLOGISCHE SPELT-
    ROOM PER KOM
··· GELE SAMBAL, OPTIONEEL (BLZ. 142)

BENODIGDHEDEN
STAAFMIXER

BEREIDING

Snijd de rode ui en knoflook in kleine stukjes. Doe de ui samen met de kokosolie in een braadpan. Zet op een laag vuurtje en voeg na een minuutje de knoflook erbij. Zet ondertussen een andere pan met het water op het vuur en voeg de bouillonbokjes toe. Snijd ook de pompoen en courgette in kleine stukjes en doe deze bij de bouillon. Doe de gemberpoeder, cayennepeper, laos, kerriepoeder en oregano in de braadpan bij de knoflook en uien, en roer alles een halve minuut goed door. Voeg dit mengsel vervolgens aan de kokende bouillon toe en laat de groenten in 30 min. op een laag vuurtje gaarkoken. Pureer de soep daarna met een staafmixer. Snijd de koriander fijn en schep de soep in een kommetje, schenk er een scheutje speltroom bij en besprenkel hem met de koriander. Ik doe er zelf nog een klein mespuntje gele sambal bij, maar dat is alleen voor diehard spicy fans!

MISOSOEP

EEN VERY *healthy* EN SMAAKVOL *Japans* RECEPT. MISOPASTA HEEFT EEN TYPISCHE SMAAK EN EEN BELANGRIJK INGREDIËNT VAN DE SOEP IS *kelp*. ZEEWIER. DAT IS GEZONDER DAN WAT DAN OOK, MAAR NIET IEDEREEN VINDT HET LEKKER. IK HEB ZELF EEN RECEPT BEDACHT MET EXTRA VEEL *groente* EN DAARVAN *slurp* IK MET GEMAK EEN HELE GROTE KOM WEG.

BEREIDINGSTIJD
40 MINUTEN

INGREDIËNTEN (4 PERSONEN)
··· 5 STUKKEN DROGE KOMBU (KELP)
··· 2 LITER WATER
··· 6 EL SHIROMISOPASTA (BOUILLON)
··· 3 LENTE-UITJES, GESNEDEN
··· 4 TEENTJES KNOFLOOK
··· 1/2 ZOETE AARDAPPEL
··· 1 1/2 WORTEL
··· 1/2 COURGETTE
··· 175 G CHAMPIGNONS
··· 4 TL SOJASAUS, OPTIONEEL

BEREIDING

Week de stukken kombu 10 min. in water. Doe de 2 liter water in een pan, voeg de shiromisopasta toe en breng het rustig aan de kook. Snijd ondertussen de groenten in kleine stukjes en doe ze erbij in de pan. Knijp de knoflook boven de pan uit. Haal de kombu uit het water, snijd hem in stukjes en schep hem in de soep. Kook de soep ongeveer 30 min. op een laag vuurtje. Serveer in een mooie kom, eventueel met een theelepel sojasaus erbij. Ready to eat!

COURGETTEBOOTJES

DIT *creatieve* COURGETTEGERECHT ZIET ER ZÓ *leuk* UIT! IK MAAK HET VAAK ALS IK MIJN NEEFJE TE ETEN HEB.
ALS HET ETEN OP JE BORD ER LEUK EN *kleurig* UITZIET, EET JE ER AUTOMATISCH MEER VAN. *Veel* ETEN ZONDER
SCHULDGEVOEL MAG, WANT DEZE COURGETTEBOOTJES ZIJN *super* HEALTHY!

BEREIDINGSTIJD
30 MINUTEN

INGREDIËNTEN (4 PERSONEN)
··· 400 G BIOLOGISCHE KIPFILET
··· 1 EL KOKOSOLIE
··· 120 G ZILVERVLIESRIJST
··· 1 BOUILLONBLOKJE
··· 2 COURGETTES
··· 1 EL OLIJFOLIE
··· 2 KLEINE RODE UIEN
··· 8 GROTE CHAMPIGNONS
··· HALF BOSJE PETERSELIE
··· 12 BLAADJES BASILICUM
··· BLAADJES VAN 4 TAKJES TIJM
··· 2 TL KERRIE
··· 1 TL GEELWORTEL
··· 1 TL LAOS
··· 2 MESPUNTJES CAYENNEPEPER
··· 3 EL TOMATENSAUS (ZIE BLZ 134)
··· ZEEZOUT EN ZWARTE PEPER
··· 3 TEENTJES KNOFLOOK

BENODIGDHEDEN
OVENSCHAAL

BEREIDING

Verwarm de oven voor op 180 °C, spoel de kipfilets af met water en snijd
ze in stukjes. Verhit de kokosolie in een koekenpan en bak de kipfilets
hierin op een laag vuurtje gaar. Af en toe goed roeren. Spoel de rijst af
en kook hem in een pannetje met water en het bouillonblokje gaar. Snijd
ondertussen de courgettes in tweeën, hol ze uit met een lepel, doe het
vruchtvlees in een kom en smeer de 4 uitgeholde halve courgettes in
met olijfolie. Leg ze in een ovenschaal in de oven en verwarm ze circa 10
min. Snijd vervolgens de uien, champignons, peterselie en basilicum en
doe alles in de kom met het courgettevruchtvlees. Voeg daarna de gare
stukjes kip, de tijm en de specerijen, tomatensaus, zout en peper toe. Knijp
als laatste de teentjes knoflook erover uit. Hussel alles goed door elkaar.
Haal de uitgeholde courgettes uit de oven en schep de vulling erin. Zet ze
vervolgens nog 10 min. in de oven. Haal ze er daarna uit en bestrooi ze per
halve courgette met 2 eetlepels rijst.

GOOD NOODLES

Sobanoedels worden gemaakt van boekweitmeel en zijn daarom extra rijk aan mineralen en *eiwitten*. Met lekkere biologische *gamba's*, zeekraal en veel specerijen maak je een very *tasty* Asian dish.

BEREIDINGSTIJD
30 MINUTEN

INGREDIËNTEN (CA. 4 PERSONEN)
··· 200 G PEULTJES
··· 1 1/2 LITER WATER
··· 1 BOUILLONBLOKJE
··· 200 G SOBANOEDELS
··· 1 EL GEMBERWORTEL
··· 7 G VERSE KORIANDER, GEHAKT
··· 1 LENTE-UI
··· 1 RODE UI
··· 4 TEENTJES KNOFLOOK
··· 1 EL SESAMOLIE
··· 300 G BIOLOGISCHE GEPELDE GAMBA'S
··· 50 G ZEEKRAAL
··· ZEEZOUT EN ZWARTE PEPER
··· 1/2 EL AGAVESIROOP
··· 1 EL TAMARI
··· 1 EL SESAMZAAD
··· 1/2 LIMOEN
··· 1 TL GEELWORTEL

BEREIDING

Kook de peultjes in 10 min. gaar. Doe ondertussen het water met het bouillonblokje in een andere pan. Zodra het water kookt, leg je de noedels erin. Kook ze ongeveer 10 min. op een laag vuurtje. Haal de peultjes van het vuur en giet ze af. Zodra de noedels klaar zijn, laat je ze uitlekken in een zeef en spoel je ze af met warm water. Hak vervolgens de gember, uien en knoflook in kleine stukjes en bak ze op een laag vuurtje in een koeken-pan met de sesamolie. Verwarm de gamba's een minuutje apart in een pan en doe ze samen met de peultjes, koriander, zeekraal, noedels, geelwortel en wat zout en peper bij het uienmengsel. Doe er vervolgens nog wat aga-vesiroop, tamari en sesamzaad overheen en roer goed! Je kunt er ook nog een teentje knoflook en wat verse limoensap overheen knijpen. Nu heb je een gezond Aziatisch recept! Mànmàn chi!

"Gezond eten begint met de juiste boodschappen."

ZUCCHETTIPASTA

DIT IS EEN *romige*, FRISSE EN VULLENDE *pastasalade*. MAAR... DE PASTA MAAK IK VAN *courgette*. VEEL LICHTER DAN HET ORIGINELE *deegproduct* ÉN HET GEEFT JE MEER *energie*. JE MAAKT DE COURGETTEPASTA HEEL MAKKELIJK ZELF MET EEN SPIRAALSNIJDER.

BEREIDINGSTIJD
30 MINUTEN

INGREDIËNTEN SALADE (4 PERSONEN)
··· 360 G BIOLOGISCHE KIPFILET
··· 1 RODE UI
··· 200 G CHAMPIGNONS
··· 1 EL KOKOSOLIE
··· 2 TEENTJES KNOFLOOK
··· 2 COURGETTES
··· 20 G BASILICUM
··· 15 CHERRYTOMAATJES
··· 20 G RUCOLA
··· 150 G MAÏS
··· ZEEZOUT EN ZWARTE PEPER

INGREDIËNTEN SAUS
··· 50 G GEITENROOM
··· 1 AVOCADO
··· 1 EL TAMARI

BENODIGDHEDEN
SPIRAALSNIJDER, STAAFMIXER

BEREIDING

Maak de kipfilet met water schoon en snijd in stukjes. Snijd de rode ui en champignons in kleine stukjes. Bak de kip in de kokosolie gaar in een koekenpan op laag vuur en bak de ui en champignons de laatste 10 min. mee. Knijp de knoflook eroverheen. Snijd met een spiraalsnijder sliertjes van de courgettes en doe ze in een kom. Snijd het basilicum fijn en de cherrytomaatjes in tweeën en doe alles samen met de rucola en de maïs bij de courgettesliertjes. Maak daarna de saus door de geitenroom, avocado en de tamari samen in een bakje te pureren met een staafmixer. Doe de kip met de ui, champignons en knoflook bij de courgettesalade, maak het nog lekkerder met zeezout en peper, en schep de saus eroverheen. Hussel de salade met een grote lepel of je handen door elkaar en hij is klaar om opgegeten te worden!

GEVULDE AUBERGINE

DIT GERECHT IS *vega*, MAKKELIJK TE MAKEN, ÉN HET ZIET ER *prachtig* UIT. JE VERRAST JE VRIENDEN, JE GEZIN OF *gasten* HIER ECHT MEE. EN SOMS... MAAK IK ER GEWOON LEKKER EENTJE VOOR MEZELF, ALS *lunch* BIJVOORBEELD.

BEREIDINGSTIJD
65 MINUTEN

INGREDIËNTEN (4 PERSONEN)
··· 2 AUBERGINES
··· KOKOSOLIE
··· 2 RODE KLEINE UIEN
··· 1/2 COURGETTE
··· 6 KLEINE TROSTOMAATJES
··· 6 CHAMPIGNONS
··· 1 TL LAOS
··· 1 TL GEELWORTEL
··· 4 TEENTJES KNOFLOOK, GEPERST
··· 120 G FETA, VERKRUIMELD
··· 2 EL PESTO (ZIE BLZ 131)
··· 2 EL EXTRA VIERGE OLIJFOLIE

BEREIDING

Verwarm de oven voor op 180 °C. Haal de kroontjes van de aubergines en snijd ze in de lengte doormidden. Bak de aubergines aan beide kanten in een pan in wat kokosolie totdat ze zacht zijn. Hol de aubergines uit, zodat er ruimte ontstaat voor de vulling. Snijd de ui, courgette, tomaten en champignons in kleine stukjes, doe alles in een kom en voeg de kruiden, knoflook, feta en pesto toe. Hussel de vulling door elkaar en schep het mengsel in de uitgeholde aubergines. Besprenkel het tot slot met wat olijfolie. Leg de aubergines op een bakplaat en bak ze in 45 min. gaar in de oven.

PASTA MET ZALM

PASTA IS *voedzaam* EN JE KRIJGT ER EEN *energieboost* VAN. ZEKER ALS JE KIEST VOOR *speltpasta*, EEN *graan* DAT VRIENDELIJKER IS VOOR JE LIJF. NA EEN INTENSIEVE DAG VIND IK HET HEERLIJK OM DEZE *tasty* PASTA KLAAR TE MAKEN VOOR MEZELF OF VOOR *vriendinnen* DIE KOMEN ETEN.

BEREIDINGSTIJD
30 MINUTEN

INGREDIËNTEN (4 PERSONEN)
··· 4 STUKKEN ZALMFILET (À CA. 150 G)
··· 3 TEENTJES KNOFLOOK
··· ZEEZOUT EN ZWARTE PEPER
··· 2 TL GEDROOGDE TIJM
··· 4 EL OLIJFOLIE
··· 1 COURGETTE
··· 8 CHERRYTOMAATJES
··· 2 KLEINE RODE UIEN
··· 400 G SPELTPASTA
··· 3 EL GEITENROOMKAAS

BEREIDING

Spoel de zalm schoon en marineer hem met 2 geperste teentjes knoflook, zeezout, peper, tijm en 1 eetlepel olijfolie. Snijd vervolgens alle groenten in stukjes terwijl je de speltpasta gaarkookt. Doe 3 eetlepels olijfolie in een pan, voeg de groenten toe en bak ze 5 min. op hoog vuur. Doe de pasta in een vergiet en laat hem uitlekken. Doe hem terug in dezelfde pan en voeg 3 eetlepels geitenroomkaas en 1 geperst teentje knoflook toe. Roer goed en doe de groenten erbij. Leg de zalm in de pan van de groenten. Bak op laag vuur totdat de vis roze van kleur is. Snijd hem in grote stukken en voeg ze bij de pasta en groenten. Serveer alles in een mooie kom. Enjoy!

LASAGNETTE

ZELFS ALS JE ZWEERT BIJ *traditionele* LASAGNE, VIND JE DIT LEKKER! MIJN VRIENDJE IS DOL OP DAT RECEPT MET VLEES, MAAR TOEN IK HEM DEZE *vegaversie* VOORSCHOTELDE, WAS HIJ *positief* VERRAST. DEZE LASAGNETTE IS BOVENDIEN *lichter* DAN EEN ORIGINELE LASAGNE, ZODAT JE BEST NOG EEN KEERTJE MAG *opscheppen*.

BEREIDINGSTIJD
25 MINUTEN

INGREDIËNTEN (1 À 2 PERSONEN)
··· 3/4 COURGETTE
··· 1 KLEINE RODE UI
··· 7 CHAMPIGNONS
··· 2 TEENTJES KNOFLOOK
··· 1 EL KOKOSOLIE
··· 350 G BIOLOGISCHE TOMATENSAUS
··· 1 EI
··· 1 TL ZEEZOUT
··· 1 TL ZWARTE PEPER
··· 1 TL LAOS
··· 1 TL KERRIE
··· 1 TL GEELWORTEL
··· MESPUNTJE CAYENNEPEPER
··· 65 G ZACHTE GEITENKAAS
··· OLIJFOLIE, OM IN TE VETTEN
··· 1 TOMAAT
··· HANDJEVOL VERSE KRULPETERSELIE, FIJNGEHAKT (PLUS EXTRA TER GARNERING)

BENODIGDHEDEN
GRATINEERSCHAAL VAN CA. 30X30 CM

BEREIDING

Schaaf de courgette in lange plakken en verwarm de oven voor op 180 °C. Snijd de ui, champignons en knoflook in kleine stukjes en bak ze 3 min. in de kokosolie. Voeg de tomatensaus, het ei, zout, zwarte peper, de specerijen en een kleine eetlepel geitenkaas toe en roer alles 5 min. goed door elkaar.

Vet de gratineerschaal in met olijfolie, snijd de tomaat in grote stukken en leg de eerste laag met de courgetteplakken in de schaal. Maak laagjes van achtereenvolgens een paar courgetteplakken, wat tomaat, de saus, en strooi er wat geitenkaas overheen. Laat de lasagne in ongeveer 15 min. gaar worden in de oven. Bestrooi voor het opdienen met wat peterselie.

Tip! Ook lekker met wat biologische sojaroom en vegetarische worst!

SNERT À LA RENS

Spliterwten, HET HOOFDINGREDIËNT VAN SNERT, ZITTEN VOL *eiwitten*. LEKKER GEZOND DUS, DIT OER-HOLLANDSE GERECHT, ALS JE HET *vers* MAAKT TENMINSTE. NA EEN HELE DAG KLUNGELEN OM DE *perfecte* 'SNERT À LA RENS' TE MAKEN, IS HET ME GELUKT! EEN ZOETE, *kruidige* EN TIKKELTJE SCHERPE ERWTENSOEP. LEKKER OM TIJDENS EEN *winterse* ZONDAG DE KEUKEN IN TE DUIKEN EN 'S AVONDS TE GENIETEN VAN DE SOEP.

BEREIDINGSTIJD
CA. 80 MINUTEN

INGREDIËNTEN (6-8 PERSONEN)
··· 3 LITER WATER
··· 2 BIOLOGISCHE BOUILLONBLOKJES
··· 500 G SPLITERWTEN
··· 2 LAURIERBLAADJES
··· 1 GROTE WINTERWORTEL
··· 1 ZOETE AARDAPPEL
··· 1 GROTE UI
··· 3 LENTE-UITJES
··· 300 G KNOLSELDERIJ
··· HANDJEVOL PETERSELIE
··· 3 TEENTJES KNOFLOOK
··· 120 G WITTE BONEN (UIT POT)
··· 1 TL GEELWORTEL
··· 1 TL CAYENNEPEPER
··· 1 TL KERRIEPOEDER
··· 2 TAKJES TIJM
··· 6 SPRIETJES BIESLOOK

BENODIGDHEDEN
BLENDER, OPTIONEEL

BEREIDING

Doe het water met de bouillonblokjes, spliterwten en laurierblaadjes in een pan en kook de erwten in 30 min. gaar. Snijd ondertussen de winterwortel, zoete aardappel, uien, knolselderij en peterselie in kleine stukjes. Pers de knoflook. Voeg de groenten en kruiden, behalve de bieslook, na 30 min. toe aan de soep en kook hem vervolgens nog 45 min. op een laag vuurtje. Haal de laurierblaadjes uit de soep en mix daarna naar keuze alles eventueel fijn met een blender. Schenk de soep in kommetjes, knip de bieslook in stukjes en strooi ze over de wintersoep.

OVENSCHOTELTJE

ALS HET BUITEN KOUD IS, VIND IK NIETS LEKKERDER DAN *experimenteren* MET STOOFPOTJES EN OVENSCHOTELS. DIT IS MIJN *favoriet!* HET VULT, MAAR LIGT NIET ZWAAR OP DE MAAG. IK MAAK HET *overdag* ALVAST KLAAR ALS IK DE TIJD HEBT. DAN HOEF IK HET 'S AVONDS ALLEEN NOG MAAR IN DE *oven* TE ZETTEN.

BEREIDINGSTIJD
CA. 20 MINUTEN

INGREDIËNTEN (4 PERSONEN)
··· 1 EL KOKOSOLIE, PLUS EXTRA OM
    IN TE VETTEN
··· 3 GROTE ZOETE AARDAPPELEN
··· 1 BLOEMKOOL
··· 1/2 GROTE RODE UI
··· 500 G KABELJAUW
··· 2 TL KERRIEPOEDER
··· ZEEZOUT EN ZWARTE PEPER
··· 3 TEENTJES KNOFLOOK
··· 200 ML SPELTROOM
··· 2 VEGETARISCHE BOUILLONBLOKJES

BENODIGDHEDEN
OVENSCHAAL VAN 20X24 CM

BEREIDING

Verwarm de oven voor op 180 °C en vet de ovenschaal in met wat kokosolie. Snijd de zoete aardappelen in de lengte in plakjes. Snijd de bloemkool en de ui in kleine stukjes. Maak de vis schoon en doe hem in een kom. Marineer hem met de kerriepoeder, een snufje zeezout en wat zwarte peper. Knijp daarna de teentjes knoflook eroverheen. Leg de helft van de aardappelen in de ovenschaal en leg de bloemkool, ui en dan de vis erbovenop. Verdeel de rest van de aardappelplakjes erover. Doe vervolgens de speltroom en de eetlepel kokosolie in een pannetje met 2 bouillonblokjes en verwarm dit al roerend. Schenk dit mengsel over de inhoud van de ovenschaal en bak 1 uur in de oven.

Snacks

Make small things with great love

Snacken doe ik vaak twee keer per dag. Halverwege de ochtend neem ik iets zoets en 's middags heb ik meer trek in hartig en zout. De snacks die ik maak zijn prima in te vriezen of in de koelkast te bewaren. Ik maak dus vaak een flinke voorraad, zodat ik er lekker vaak van kan snoepen.

MINIPIZZA'S

EEN *creatieve* SNACK, AL ZEG IK HET ZELF. OM UIT TE *delen*, MAAR OOK ALS JE JEZELF WILT *verwennen* ZIJN DEZE MINIPIZZA'S *heerlijk*. EN HET MOOIE IS: ER KOMT *geen deeg* AAN TE PAS!

BEREIDINGSTIJD
CA. 20 MINUTEN

INGREDIËNTEN (9 PIZZA'S)
··· 1 COURGETTE
··· 2 EL OLIJFOLIE
··· ZWARTE OLIJVEN, ZONDER PIT
··· 8 CHAMPIGNONS
··· 5 PLAKJES BIOLOGISCHE KALKOENFILET
··· 5 EL TOMATENSAUS (ZIE BLZ. 134)
··· HIMALAYAZOUT EN ZWARTE PEPER
··· 1 EL MOSTERD

BEREIDING

Verwarm de oven voor op 200 °C. Snijd de courgette diagonaal in 3 dikke plakken en vervolgens elke plak horizontaal in 3 plakken. Leg ze op een bakplaat en besprenkel ze met olijfolie. Snijd de zwarte olijven en de champignons in kleine stukjes en de plakjes kalkoenfilet in tweeën. Verdeel de filet, tomatensaus, olijven en champignons in deze volgorde over de plakjes courgette en strooi er dan wat zout en peper over. Rooster de minipizza's 7-10 min. in de oven, leg ze op een mooie schaal en maak het af door er een likje mosterd bovenop te doen. That's it!

PAPRIKA'S UIT DE OVEN

DE ALLERMAKKELIJKSTE *gevulde paprika's* OOIT! SUPERLEKKER EN IN *tien* MINUUTJES KLAAR. EEN HEERLIJK HAPJE OM ROND TE *delen* ALS JE GASTEN HEBT, MAAR IK MAAK ZE OOK WEL EENS ALS LUNCH, ALS *voorgerechtje* OF ALS BIJGERECHT.

BEREIDINGSTIJD
CA. 20 MINUTEN

INGREDIËNTEN (6 PORTIES)
··· 3 MINIPAPRIKA'S
··· 1 EL GESMOLTEN KOKOSOLIE
··· 150 G HUMMUS (ZIE BLZ. 128)
··· PAAR BLAADJES VERSE KORIANDER
··· ZEEZOUT EN PEPER, OPTIONEEL

BEREIDING

Verwarm de oven voor op 180 °C. Snijd de paprika's in de lengte doormidden. Verwijder eventuele pitjes en het steeltje en spoel ze schoon met water. Leg ze op een bakplaat en vet ze in met wat kokosolie. Vul de paprika's met hummus en bak ze ongeveer 10 min. in de oven. Snijd ondertussen wat koriander fijn en strooi wat over de paprika's zodra ze klaar zijn. En eventueel nog wat zout en peper voor nog wat meer smaak.

SNACKKOEKJES

DIT ZIJN HEERLIJKE *guilt free* KOEKTROMMELKOEKJES VOOR BIJ DE *koffie*, THEE OF ALS *middagsnack*.

BEREIDINGSTIJD
CA. 40 MINUTEN

INGREDIËNTEN (CA. 10 KOEKJES)
··· 150 G HAZELNOTEN
··· 180 G AMANDELEN
··· 130 G SPELTMEEL
··· 60 ML WATER
··· 100 ML AHORNSIROOP
··· 40 G MEDJOOL DADELS, PITTEN
    VERWIJDERD
··· 2 EL CHIAZAAD
··· 1 EL HENNEPZAAD
··· 4 EL CACAOPOEDER
··· 2 EL KOKOSOLIE
··· 1 TL ZEEZOUT

BENODIGDHEDEN
BLENDER

BEREIDING
Verwarm de oven voor op 180 °C. Doe de noten in de blender en mix ze een minuut of twee totdat ze heel fijn zijn. Voeg dan de overige ingrediënten toe en mix opnieuw, totdat er een kleverig deeg ontstaat. Schep een eetlepel van het deeg in je hand en maak er een balletje van. Leg het op een bakplaat en duw het plat, zodat het een mooi dun rondje wordt. Herhaal dit totdat er geen deeg meer over is. Zet het bakblik ongeveer 20 min. in de oven, tot de koekjes stevig worden en lichtjes bruin beginnen te kleuren. Laat ze vervolgens een paar minuten afkoelen en geniet!

Tip! Je kunt ze invriezen.

CHOCOSNACK

DEZE *chocoladeballetjes* EET IK MISSCHIEN WEL IETS TE *vaak*... ZE ZIJN OOK GEWOON VEEL TE MAKKELIJK TE MAKEN EN ERG *verslavend*. LEKKER OM TE SERVEREN BIJ EEN KOP KOFFIE OF *thee* NA EEN GEZELLIG ETENTJE MET VRIENDEN OF FAMILIE. SOMS NEEM IK ER ALS *verrassing* EEN PAAR MEE VOOR MIJN KLEINE NEEF OF ALS IK MET VRIENDINNEN HEB AFGESPROKEN.

BEREIDINGSTIJD
25 MINUTEN

INGREDIËNTEN
··· 200 G DADELS, PITTEN VERWIJDERD
··· 170 G VERSCHILLENDE NOTEN
··· 60 G KOKOSOLIE
··· 2 EL RAUWE CACAO
··· 1 EL CHIAZAAD
··· KOKOSRASP

BENODIGDHEDEN
BLENDER OF KEUKENMACHINE

BEREIDING

Laat de dadels 15 min. in water weken. Doe de noten, kokosolie, cacao en het chiazaad in de blender of keukenmachine en mix alles goed fijn. Doe vervolgens de dadels erbij en mix nog een keer. Schep daarna alles in een kom en laat het 10 min. staan. Maak er vervolgens balletjes van en rol ze in de kokosrasp. Leg ze een uur in de koelkast en daarna zijn ze ready om opgegeten te worden!

RAW SNACKREPEN

IK WORD ERG *blij* ALS IK WEET DAT IK DEZE SNACK IN MIJN *handtas* HEB. DEZE REEP IS ZOET, ZIT VOL *gezonde* INGREDIËNTEN EN *vult* ENORM. DUS NA DIT TUSSENDOORTJE KAN IK WEER EVEN DOOR. ER GAAN FLINK WAT INGREDIËNTEN IN, MAAR JE KUNT HIERMEE WEL *twintig* REPEN MAKEN, DIE JE VERSPREID OVER EEN WEEK OF TWEE KUNT SNACKEN.

BEREIDINGSTIJD
CA. 85 MINUTEN

INGREDIËNTEN (CA. 20 REPEN)
··· 250 G WALNOTEN
··· 50 G GEMALEN LIJNZAAD
··· 50 G HENNEPZADEN
··· 100 G CACAONIBS
··· 50 G KOKOSRASP
··· 100 G ZONNEBLOEMPITTEN
··· 100 G CHIAZAAD
··· 75 G WITTE MOERBEIEN
··· 2 TL LUCUMAPOEDER
··· 3 EL GESMOLTEN KOKOSOLIE
··· 350 G DADELS, PITTEN VERWIJDERD
··· 8 VIJGEN
··· 100 G ROZIJNEN
··· 3 EL APPELSTROOP

BENODIGDHEDEN
KEUKENMACHINE

BEREIDING

Doe driekwart van de ingrediënten tot en met de lucumapoeder in je keukenmachine. Voeg daaraan de kokosolie, dadels, vijgen, rozijnen en de appelstroop toe en mix alles tot het aan elkaar plakt. Voeg nog wat meer kokosolie en dadels toe als het mengsel te droog is. Voeg vervolgens de rest van de ingrediënten toe en mix alles goed door elkaar. Spreid het mengsel in een gelijkmatige laag uit in een lage schaal van ca. 20 x 20 cm. Bestrooi het eventueel met kokosrasp en zet de schaal minimaal een uur in de koelkast. Snijd het vierkant daarna in kleine repen.

Voor de zoetekauwen
onder ons:
verhit 1 eetlepel
cacaopoeder, 1 eetlepel
kokosolie plus 1 theelepel
agavesiroop in een
pannetje en doe er een
handje popcorn bij.
Goed roeren en smullen
maar!

POPCORN

Movie night? BORREL, FEESTJE? OF GEWOON ZIN OM TE *snaaien?* POPCORN IS DE *snelste* SNACK EVER. JE MAAKT HET IN MAXIMAAL *vijf* MINUTEN, GEWOON IN DE PAN.

BEREIDINGSTIJD
CA. 10 MINUTEN

INGREDIËNTEN (1 PERSOON)
··· 1/2 EL KOKOSOLIE
··· HANDVOL BIOLOGISCHE POFMAÏS
··· ZEE- OF HIMALAYAZOUT

BEREIDING
Doe de kokosolie in een pan met deksel en verhit hem tot hij gesmolten is. Spoel de maïs in een vergiet schoon met water. Schep de korrels in de pan en doe de deksel erop. Verhit de maïs 2-3 min. op hoog vuur totdat je ze niet meer hoort poppen. Doe de popcorn in een kom en bestrooi hem met een snufje zout. Ready to eat!

Incabessen komen van oorsprong uit de hooggelegen tropische regio's van Zuid-Amerika. Dit exotische en heerlijke snackje zal niet alleen je smaakpapillen verwennen, maar het is ook ontzettend goed voor je lijf. Incabessen zijn zoet met een fijne zure nasmaak en ze zitten boordevol vitaminen.

OERSNACK

DIT SNACKJE IS GEMAAKT VAN PURE *oerproducten*. VAN DEZE PERFECTE COMBINATIE MET *dadels*, NOTEN EN *kokos* MAAK JE EEN VERSLAVENDE SNACK. JE PROEFT *zoet*, ZUUR EN *creamy*, EN DAT TERWIJL ER HELEMAAL GEEN ROOM AAN TE PAS KOMT.

BEREIDINGSTIJD
10 MINUTEN

INGREDIËNTEN (CA. 8 BALLEN)
··· 120 G AMANDELEN
··· 120 G DADELS, PITTEN VERWIJDERD
··· 120 G CASHEWNOTEN
··· 150 G GEDROOGDE INCABESSEN
··· 3 TL NOTENMELK
··· KOKOSRASP

BENODIGDHEDEN
KEUKENMACHINE, STAAFMIXER OF BLENDER

BEREIDING
Mix de amandelen, dadels, cashewnoten en de Incabessen samen met de notenmelk in de keukenmachine of met een staafmixer. Eventueel kun je ook een blender gebruiken. Rol vervolgens balletjes van het mengsel. Rol de balletjes door de kokosrasp tot ze goed bedekt zijn. Vers zijn ze sappig en heerlijk!

KIKKERERWTENSNACK

ALS JE KIKKERERWTEN LEKKER *kruidt* EN KNAPPERIG BAKT IN DE OVEN, MAAK JE ER EEN *verrassende* SNACK VAN. HET *gezonde* ALTERNATIEF VOOR EEN ZAK CHIPS OF ZOUTE PINDA'S. OOK LEUK OM IN BAKJES NEER TE ZETTEN ALS JE EEN FEESTJE GEEFT.

BEREIDINGSTIJD
CA. 40 MINUTEN

INGREDIËNTEN (4 PERSONEN)
··· 2 EL KOKOSOLIE
··· 230 G KIKKERERWTEN, VOORGEKOOKT
··· 1 EL PAPRIKAPOEDER
··· 1 TL ZOUT
··· 1 TL ZWARTE PEPER
··· SNUFJE CAYENNEPEPER
··· 1 TL GEDROOGDE TIJM

BEREIDING

Verwarm de oven voor op 200 °C. Smelt de kokosolie in een pannetje, doe vervolgens de rest van de ingrediënten erbij en roer alles goed door elkaar. Spreid de gekruide kikkererwten uit over een bakplaat of in een ovenschaal en bak ze 15 min. Roer daarna door met een spatel en bak dan nog 10 min. in de oven totdat ze lekker knapperig en goudbruin zijn.

Mijn ultieme verleiding! Een grote zak patat met een dikke klodder mayonaise. Niet heel gezond, maar eigenlijk zou ik het vaker moeten eten omdat ik er zo happy van word. Zoals het een gezondheidsfreak betaamt, dook ik de keuken in en maakte ik zelf frietjes van zoete aardappel en pastinaak. Minstens zo lekker! Op bladzijde 132 vind je bovendien een gezondere mayovariant.

PASTINAAKPATAT

❧

BEREIDINGSTIJD
20 MINUTEN

INGREDIËNTEN (2 PERSONEN)
··· 3 PASTINAKEN
··· 1 EL GESMOLTEN KOKOSOLIE
··· 2 EL TIJM, GEDROOGD
··· ZEEZOUT

BENODIGDHEDEN
OVENSCHAAL

BEREIDING
Verwarm de oven voor op 200 °C. Schil de pastinaken, was ze en snijd ze in dunne reepjes. Doe ze in een ovenschaal, hussel ze door elkaar met wat kokosolie en strooi er twee eetlepels tijm en wat zeezout overheen. Zet ze 30 min. in de voorverwarmde oven. Lekker met een likje mayonaise of dip (zie spreads).

ZOETE-AARDAPPELPATAT

❧

BEREIDINGSTIJD
CA. 20 MINUTEN

INGREDIËNTEN (2 PERSONEN)
··· 2 GROTE ZOETE AARDAPPELEN
··· 4 EL KOKOSOLIE
··· 1 TL PAPRIKAPOEDER
··· HIMALAYAZOUT

BEREIDING
Was de zoete aardappelen. Ik schil ze niet, maar als je dat lekkerder vindt, dan kan dat. Snijd de aardappelen in mooie lange, dunne frietjes. Doe vervolgens de kokosolie in een pan en verhit hem op een hoog vuur. Doe als de olie heet is de gesneden aardappel erin; pas op dat het niet te veel spat. Haal de patatjes eruit als ze wat donkerder van kleur zijn. Pak een kom, hang er een zeef boven en giet de knapperige patatjes erin zodat het vet eruit kan druipen. De opgevangen olie kun je eventueel voor de volgende keer bewaren. Strooi er wat paprikapoeder en zout overheen, beetje schudden, doe ze over in een leuke kom en done! Heerlijk met gemengde notenpasta of met mijn gezonde mayonaise (zie blz. 132).

ZOETE AARDAPPELEN

Een zoete aardappel is geen aardappel!
Huh? Inderdaad! Deze aardappelen
zijn van origine geen familie van elkaar.
Zoete aardappelen hebben een zoete
smaak en zitten bomvol vitamine A
en C, calcium, magnesium, kalium en
hebben ze maar liefst 1,5 keer meer
antioxidanten dan bijvoorbeeld blauwe
bessen. Ze vullen enorm. Ik gebruik
zoete aardappelen in soepen, salades en
ik maak er zelfs friet van!

BOERENKOOLCHIPS

VERGEET BOERENKOOL MET WORST. BOERENKOOLCHIPS IS *hét nieuwe ding*. IN NEW YORK KUN JE DIT SNACKJE AL OP ELKE STRAATHOEK KRIJGEN, DUS ALS *boerenkoolland* KUNNEN WE IN NEDERLAND NIET ACHTERBLIJVEN. JE KUNT DE *gezonde* CHIPS HIER IN SPECIAALZAAKJES KOPEN, MAAR VEEL LEUKER (EN HEEL MAKKELIJK!) IS OM ZE ZELF TE MAKEN. IK SNACK ZO EEN HELE *bak* WEG BIJ EEN GOEDE *film*.

BEREIDINGSTIJD
25 MINUTEN

INGREDIËNTEN (4 PERSONEN)
··· 300 G BOERENKOOLBLADEREN
··· 1 EL OLIJFOLIE
··· 1 TL SOJASAUS
··· 1 TL SESAMZAAD

BEREIDING

Verwarm de oven voor op 180 °C. Snijd het middelste gedeelte van de stengels van de boerenkoolbladeren eruit. Was de bladeren schoon en laat ze drogen. Scheur vervolgens de droge bladeren in grote stukken en doe ze in een kom. Doe daarna de olie, sojasaus en wat sesamzaad erbij. De bladeren moeten een beetje glinsteren, maar gebruik niet te veel olie. Proef of het goed is en voeg eventueel wat meer sojasaus toe. Hussel alles door elkaar en leg de bladeren op een bakplaat en zet die in de oven. Het hangt af van de oven, maar de baktijd varieert tussen de 6 en 12 min. Houd het een beetje in de gaten en haal ze eruit als ze lekker crispy zijn.

Sweets

No sugar. I'm sweet enough

Het beste is natuurlijk om gewoon niet te wennen aan te veel zoetigheid. Maar omdat we vanaf jongs af aan een voorkeur hebben voor deze smaak, kunnen we stiekem toch niet zonder. Ik eet geen geraffineerde suiker, maar het is té lekker om taartjes en snacks lekker zoet te maken met natuurlijkere sweeteners. Let op! Ook dat moet met mate.

Alle dagen ijs!
Waarom niet? Je
kunt je helemaal
te buiten gaan
met deze gezonde,
ijskoude snacks.

IJSLOLLY'S

DEZE *lolly's* MAAK IK VAAK VOOR MIJN LIEVE *kleine* VRIEND. MIJN *neefje* IS ER GEK OP! MAAR EIGENLIJK *verslinden* MIJN VRIENDINNEN EN IK ZE OOK IN DE *zomer*.

BEREIDINGSTIJD
CA. 6 UUR

INGREDIËNTEN (6 IJSJES)
··· 1 MANGO
··· 4 KIWI'S
··· KLEIN BAKJE AARDBEIEN
··· 3 EL WATER

BENODIGDHEDEN
··· 6 IJSLOLLYVORMPJES

BEREIDING

Was het fruit en snijd het in stukjes. Pureer de vruchten afzonderlijk van elkaar met een staafmixer en voeg bij elke fruitsoort 1 eetlepel water toe zodat het goed mixt. Lepel eerst een laag van de mango in de lollyvormpjes, tot de vormpjes voor een derde gevuld zijn, en vries ze 1 à 2 uur in. Herhaal dit met een laag kiwi en vervolgens met een laag aardbeien. Steek de ijsstokjes in de laatste laag en laat de vormpjes een nacht in de vriezer staan. De volgende dag heb je zes ijsjes om uit te delen of om voor jezelf te bewaren. Geen tijd? Mix al het fruit en het water tot een romig geheel, schenk het in de vormpjes en zet de vormpjes in de vriezer.

AARDBEIEN

Ze zien eruit om op te eten! De aardbei
is een lekkere gezonde snack op elk
moment van de dag. Toen ik jong was,
plukte ik ze in onze tuin, deed ze op
een rijstwafel met wat honing erover.
Daar smulde ik dan zo van! Aardbei-
en zijn vitamine C-bommetjes, die
ook heerlijk zijn in vruchtensalades,
smoothies en als toetje.

NOTENIJS

VERGEET DE ITALIAANSE IJSBOER. HET *lekkerste* PISTACHE-IJS MAAK JE *zelf!*

BEREIDINGSTIJD
25 MINUTEN

INGREDIËNTEN (CA. 300 ML)
··· 2 GROTE HANDEN PISTACHE-
    NOTEN, GEPELD
··· SNUFJE ZEEZOUT
··· 1 EL AHORNSIROOP
··· 1/2 AVOCADO
··· 2 BEVROREN RIJPE BANANEN,
    IN STUKJES
··· 1 TL VANILLEPOEDER
··· 1/2 TL AMANDELEXTRACT
··· 1 EL AMANDELMELK, OPTIONEEL

BENODIGDHEDEN
KEUKENMACHINE

BEREIDING

Hak een handvol pistachenoten in kleine stukjes en rooster ze goudbruin in een droge koekenpan met een snufje zeezout. Doe er een eetlepel ahornsiroop bij, roer en laat het mengsel afkoelen. Doe vervolgens de avocado, bevroren banaan en de rest van de noten in de keukenmachine met de vanillepoeder, het amandelextract en eventueel een eetlepel amandelmelk (afhankelijk van de dikte) erbij. Laat de machine draaien totdat je een romig ijsmengsel hebt. Draai niet te lang, want je wilt geen milkshake. Doe het ijs in een kom, strooi de geroosterde noten erover en het is klaar om te serveren!

VANILLE-KOKOSIJS

VOOR DIT IJS HEB JE EEN *ijsmachine* NODIG. EEN FLINKE AANSCHAF, MAAR ALS JE DIT IJS ÉÉN KEER MAAKT, BEN JE *hooked* EN ZUL JE MERKEN DAT HET ECHT DE KOOP *waard* IS.

BEREIDINGSTIJD
VOORBEREIDING: 5 UUR
BEREIDING: 10 MINUTEN

INGREDIËNTEN (CA. 2 PERSONEN)
··· 350 G CASHEWNOTEN
··· 250 G KOKOSVLEES
··· 250 ML WATER
··· 1 EL VANILLE-EXTRACT
··· 100 ML AGAVESIROOP, OF MEER
    NAAR SMAAK
··· SNUFJE ZEEZOUT

BENODIGDHEDEN
BLENDER, IJSMACHINE

BEREIDING

Week de cashewnoten 4 uur of langer in water in de koelkast. Pureer daarna alle ingrediënten in de blender op hoge snelheid. Zet het mengsel een paar uur in de koelkast, doe het dan in de ijsmachine en draai het volgens de gebruiksaanwijzing tot ijs.

CHOCOLADE-IJS

PURE *happiness!* DAT VEROORZAAKT CHOCOLADE-IJS BIJ MIJ *sowieso* AL, MAAR ZEKER DEZE VARIANT WAAR VEEL *pure* CACAOPOEDER IN ZIT: HET ULTIEME *geluksstofje.*

BEREIDINGSTIJD
15 MINUTEN

INGREDIËNTEN (CA. 2 PERSONEN)
··· 2 BEVROREN BANANEN
··· 3 EL NOTENPASTA (ZIE BLZ. 127)
··· 3 EL CACAOPOEDER
··· 1 EL AGAVESIROOP, OPTIONEEL
··· SCHEUTJE AMANDELMELK,
    OPTIONEEL
··· RAUWE CHOCOLADESCHRAAPSEL,
    VOOR ERBIJ

BENODIGDHEDEN
BLENDER

BEREIDING

Doe de bevroren bananen, notenpasta, cacaopoeder en eventueel de agavesiroop in de blender en mixen maar. Als het te compact is, giet er dan een scheutje amandelmelk bij. Schraap indien nodig de wanden van de mengbeker schoon. Serveer het gemixte ijs met chocoladeschraapsel.

RAW OREO'S

TOEN IK IN NEW YORK WOONDE ZAG IK IEDEREEN DEZE *cookies* VERSLINDEN. ZE ZIJN *goddelijk*, MAAR ALS JE OP DE VERPAKKING KIJKT, WEET JE DAT JE JE *lichaam* ER NIET ECHT BLIJ MEE MAAKT. *No worries!* IK HEB EEN HEALTHY *variant* BEDACHT WAAR JE LIJF WEL *happy* VAN WORDT.

BEREIDINGSTIJD
VOORBEREIDING: 4 UUR
BEREIDING: CA. 30 MINUTEN

INGREDIËNTEN KOEKJES
··· 50 G HAVERMOUT
··· 180 G AMANDELEN
··· 100 G DADELS, PITTEN VERWIJDERD
··· 120 G RAUWE CACAO
··· 1/2 TL KANEEL
··· 2 EL WATER OF AMANDELMELK

INGREDIËNTEN CASHEWROOM
··· 130 G RAUWE CASHEWNOTEN
··· 2 TL WATER
··· 1 TL VANILLE-EXTRACT, ONGEZOET
··· 1 EL GESMOLTEN KOKOSOLIE
··· SNUFJE ZOUT
··· 1 EL AGAVESIROOP

BENODIGHEDEN
BLENDER

BEREIDING
Week de cashewnoten 4 uur en de dadels ongeveer 15 min. in water. Voeg de ingrediënten voor de koekjes op volgorde beetje bij beetje toe aan de blender. Mix goed totdat alles helemaal fijn is. Voeg, als het deeg nog erg kruimelig is, wat extra water of 1 theelepel kokosolie toe. Haal het deeg uit de blender, leg het op bakpapier en rol het met een deegroller uit. Druk er met een vormpje of een dop kleine rondjes uit. Leg de koekjes op een bord en zet dit wanneer ze klaar zijn in de koelkast. Spoel de blender schoon, doe de ingrediënten voor de cashewroom erin en mix alles tot een romig geheel. Schep de room in een kommetje. Haal de koekjes uit de koelkast, schep met een theelepel wat cashewroom op een koekje en druk er een ander bovenop. Herhaal dit tot er geen koekjes meer over zijn.

Tip! Gebruik een goede sterke blender als je noten fijn wilt malen. Of stamp of hak de noten eerst fijn voordat je ze in de blender doet. Plakt het geheel aan de zijkanten? Stop de blender af en toe en haal met een spatel het mengsel naar het midden.

CHEESECAKE

This cake has it all! MIJN FAVORIET ALS IK ZIN HEB IN IETS FRIS, *hartigs* ÉN ZOETS. DE TAART ZIET ER BOVENDIEN GEWELDIG UIT. JE GAAT HIER ECHT DE *show* MEE STELEN, ZEKER ALS JE VERTELT DAT JE GASTEN DE TAART ZONDER SCHULDGEVOEL KUNNEN ETEN. GAAT IE NIET IN ÉÉN KEER OP? JE KUNT 'M IN DE *vriezer* BEWAREN TOT EEN VOLGEND *feestje.*

BEREIDINGSTIJD
VOORBEREIDING: 1 UUR
BEREIDING: CA. 30 MIN.

INGREDIËNTEN BODEM
··· 300 G AMANDELEN
··· 300 G DADELS, PITTEN VERWIJDERD

INGREDIËNTEN VULLING
··· 600 G RAUWE CASHEWNOTEN
··· 240 G KOKOSOLIE, PLUS EXTRA
··· 160 ML CITROENSAP
··· 180 ML AGAVESIROOP
··· 125 ML WATER
··· SNUFJE ZEEZOUT
··· 2 TL VANILLE-EXTRACT, ONGEZOET

INGREDIËNTEN TOPPING
··· 4 EL KERSENJAM ZONDER SUIKER

BENODIGHEDEN
BLENDER, SPRINGVORM VAN 24 CM DOORSNEE

BEREIDING
Week de rauwe cashewnoten minimaal een uur in water. Maak in de tussentijd de bodem door de amandelen en de dadels in de blender fijn te mixen. Vet een springvorm in met wat kokosolie en druk vervolgens het amandel-dadelmengsel op de bodem, totdat deze helemaal bedekt is. Maak de blender schoon. Als de cashewnoten geweekt zijn, mix je ze met de andere ingrediënten van de vulling. Meng tot een romig geheel en schenk dit vervolgens over de bodem in de springvorm. Zet de cake een nacht in de vriezer en laat hem de volgende dag ongeveer 3 uur op temperatuur komen in de koelkast. Schep met een lepel wat suikervrije kersenjam in het midden van de cake. Je cake is nu klaar om te serveren en om er heel erg van te genieten!

CHOCOMUFFINS

VAN DEZE MUFFINS MET *rauwe* CACAO, BANAAN, DADELS EN SPELTMEEL WORD IK *dolgelukkig!* IK NEEM ZE VAAK MEE ALS IK BIJ VRIENDINNEN GA ETEN, ALS *toetje* OF VOOR BIJ DE THEE. EN HEEL SOMS MAAK IK ER SPONTAAN EEN PAAR VOOR MEZELF, OM ALS *tussendoortje* TE SNOEPEN.

BEREIDING
CA. 45 MINUTEN

INGREDIËNTEN (VOOR CA. 8 MUFFINS)
··· 200 G SPELTMEEL
··· 75 G RAUWE CACAO
··· 120 G KOKOSBLOESEMSUIKER
··· 1 EL WIJNSTEENBAKPOEDER
··· 1/2 TL ZEEZOUT
··· 1 TL VANILLE-EXTRACT
··· 2 BANANEN
··· 1 EI
··· 175 G DADELS, GEWEEKT EN
   PITTEN VERWIJDERD
··· 90 G KOKOSOLIE
··· 100 ML WARM WATER

BENODIGDHEDEN
BLENDER, 8 MUFFINVORMPJES

BEREIDING

Verwarm de oven voor op 180 °C. Doe het speltmeel, de cacao, kokosbloesemsuiker, wijnsteenbakpoeder en het zeezout in een grote kom. De rest van de ingrediënten mix je in de blender tot een romig geheel. Schenk het vervolgens in de kom en roer alles nog een keer goed door. Schep in elk vormpje twee lepels van het beslag. Bak de muffins 35 min. in de oven.

"Love is sweet please take a treat."

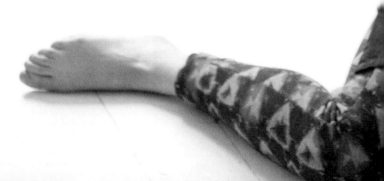

FAMILIE KROES' FAVORIETE CUPCAKES

OM DEZE CAKEJES TE LATEN LUKKEN HEB IK MEZELF *dagenlang* OPGESLOTEN IN DE KEUKEN BIJ MIJN MEM IN *Eastermar*. NA TIG MISLUKTE POGINGEN WERD DIT RECEPT OFFICIEEL *goedgekeurd* DOOR DE MEEST KRITISCHE JURY EVER: MIJN FAMILIE. ALS IK NU *afreis* NAAR HET NOORDEN MET DEZE CAKEJES ALS *traktatie*, KAN IK NOG GEEN STAP IN HUIZE KROES ZETTEN OF ZE ZIJN FOETSIE... GEGARANDEERD *succes* MET DEZE CUPCAKES DUS!

BEREIDINGSTIJD
CA. 90 MINUTEN

INGREDIËNTEN ONDERSTE LAAG
(CA. 10 CAKEJES)
··· 50 G AMANDELEN
··· 60 G PECANNOTEN
··· 170 G DADELS, PITTEN VERWIJDERD
··· SNUFJE ZEEZOUT

INGREDIËNTEN MIDDELSTE LAAG
··· 120 G GEMENGDE NOTENPASTA
··· 170 G DADELS, PITTEN VERWIJDERD
··· 50 G KOKOSOLIE
··· SNUFJE ZOUT EN VANILLEPOEDER

INGREDIËNTEN BOVENSTE LAAG
··· 70 G KOKOSOLIE
··· 4 EL CACAOPOEDER
··· 90 G KOKOSBLOESEMSUIKER

BENODIGDHEDEN
PAPIEREN CUPCAKEVORMPJES, 1 CUP-
CAKE- OF MUFFINBAKVORM, BLENDER

BEREIDING

Mix de ingrediënten voor de onderste laag fijn in de blender en doe het mengsel in de vormpjes. Druk het goed aan. Spoel de blender schoon Mix nu alle ingrediënten voor de middelste laag fijn in de blender. Dit keer is de substantie wat zachter. Schep de pasta boven op de onderste laag. Verhit de kokosolie voor de bovenste laag in een pannetje en voeg de cacaopoeder en kokosbloesemsuiker toe. Even goed roeren. Deze laag is het zachtst. Schenk het mengsel op de cupcakes. Doe de cakejes een uur in de vriezer en dan smullen maar!

PHYLLON'S VERJAARDAGSTAART

DEZE TAART HEB IK VOOR DE VERJAARDAG VAN MIJN NEEFJE *Phyllon* GEMAAKT. HET IS INMIDDELS *traditie* GEWORDEN DAT ZIJN TROTSE *tante* ELK JAAR EEN (STIEKEM HEEL GEZONDE) TAART VOOR HEM BAKT. AL EEN MAAND VOOR ZIJN VERJAARDAG KAN HIJ AAN NIETS ANDERS DENKEN. IN DEZE *chocotaart* ZIT GEEN SUIKER, MAAR HIJ IS WEL LEKKER GEZOET. GOEDGEKEURD DOOR MIJN NEEFJE, DUS *kidsproof!*

BEREIDINGSTIJD
CA. 30 MINUTEN

INGREDIËNTEN BODEM
··· 200 G WALNOTEN
··· 400 G DADELS
··· 125 G RAUWE CACAO
··· 1 TL VANILLEPOEDER, ONGEZOET
··· SNUFJE ZEEZOUT

INGREDIËNTEN VULLING
··· 225 G KOKOSBOTER*
··· 250 G CACAOPOEDER
··· 4 STUKJES CACAOBOTER
··· 2 EL KOKOSOLIE
··· HANDJEVOL ONTPITTE KERSEN
··· 200 ML AHORNSIROOP
··· 1 TL VANILLEPOEDER, ONGEZOET
··· 1 TL ZEEZOUT
··· 1 EL KOKOSRASP
··· HANDJEVOL ONGEBRANDE GEMENG-
    DE NOTEN

BENODIGDHEDEN
SPRINGVORM VAN 20 CM DOORSNEE,
BLENDER

BEREIDING

Doe de walnoten en dadels beetje bij beetje in de blender. Voeg de rauwe cacao, vanillepoeder en het zeezout toe en mix alles goed door elkaar. Schep het uit de blender en kneed het 2 min. Leg het notendeeg op de bodem van de taartvorm en druk het plat. Mix vervolgens de ingrediënten van de vulling in de blender tot een romig en dik geheel. Schep het meng-sel boven op de bodem en verspreid alles goed met een spatel. Versier de vulling met wat kokosrasp en noten. Zet de taart een uurtje in de koelkast en dan is hij klaar om ervan te smullen.

*HOE MAAK JE KOKOSBOTER? MIX 500 G KOKOSRASP IN DE BLENDER, NET ZO LANG TOT HET EEN ROMIG GEHEEL WORDT! THAT'S IT! JE KUNT ER EVENTUEEL NOG WAT HONING EN VANILLEPOEDER AAN TOEVOEGEN VOOR EEN ZOETERE, WARMERE SMAAK.

SUPER(FOOD)IJSTAART

SUPERFOOD = SUPER *good!* ZEKER IN DE VORM VAN DEZE *fantastische* IJSTAART. MAAK 'M ALS DESSERT VOOR BIJ EEN BBQ IN DE TUIN, OF ALS TRAKTATIE VOOR EEN VERJAARDAG IN HET *park*. JE KUNT GERUST EEN EXTRA GROOT STUK NEMEN, WANT DEZE TAART IS *übergezond!*

∽

BEREIDINGSTIJD
CA. 12 UUR

INGREDIËNTEN DEEG
··· 150 G CASHEWNOTEN
··· 650 G AMANDELEN
··· 50 G PARANOTEN
··· 1 TL VANILLEPOEDER, ONGEZOET
··· 1 EL KOKOSOLIE
··· 10 DADELS, PITTEN VERWIJDERD

INGREDIËNTEN MIDDELSTE LAAG
··· 50 G CASHEWNOTEN
··· 300 G AMANDELEN
··· 75 G AHORNSIROOP
··· 6 DADELS, PITTEN VERWIJDERD
··· 1 1/2 BANAAN, BEVROREN
··· 1 TL KANEELPOEDER
··· 1 TL VANILLEPOEDER, ONGEZOET
··· 2 TL MACAPOEDER
··· 2 EL CHIAZAAD
··· 15 ML KOKOSMELK

INGREDIËNTEN BOVENSTE LAAG
··· 125 G BLAUWE BESSEN
··· 50 G KERSEN, ZONDER PIT
··· 250 G BEVROREN CRANBERRY'S
··· 1 1/2 BANAAN, BEVROREN
··· 250 G AARDBEIEN, KROONTJES VERWIJDERD
··· 50 G CASHEWNOTEN
··· 1 EL CAMUCAMUPOEDER
··· 10 ML KOKOSMELK
··· 4 DADELS, ZONDER PIT

BENODIGDHEDEN
BLENDER, SPRINGVORM VAN 24 CM DOORSNEE

VOORBEREIDING
Laat voor het deeg 100 gram van de cashewnoten en 300 gram van de amandelen minimaal 4 uur in water weken, en doe hetzelfde met de cashewnoten en amandelen voor de middelste en bovenste laag.

BEREIDING
Doe voor het deeg de noten, vanillepoeder, kokosolie en dadels in de blender en mix tot alles fijn is. Haal het deeg uit de blender en kneed het nog een paar minuten met je handen. Bekleed vervolgens de springvorm ermee. Spoel de blender schoon. Mix alle ingrediënten voor de middelste laag in de blender totdat het een mooi romig geheel wordt. Giet vervolgens de inhoud in de springvorm en zet hem in de vriezer. Spoel de blender weer schoon met warm water. Doe alle ingrediënten voor de bovenste laag in de blender en mix tot een lekker dik, rozegekleurd geheel. Je kunt ook andere fruitsoorten gebruiken, zoals bosbessen en rode bessen. Haal de vorm na 30 min. uit de vriezer en giet de laatste laag erin. De complete taart moet 6 uurtjes in de vriezer. Haal de taart uit de vriezer. Wow! Je kunt als decoratie leuke vruchten of noten op de taart leggen.

Spreads

~

Complaining won't burn calories

De kers op de taart! Een dip
of een lekkere topping maken
een gerecht vaak helemaal af.
Je kunt al deze spreads trouwens
ook gewoon lekker op een cracker
of een broodje eten. Ze zijn
heel voedzaam en daarom
guilty free.

CHOCOLADEPASTA

AF EN TOE *VERWEN* IK MEZELF NA DE LUNCH MET DIT *ZOETE* BELEG OP MIJN CRACKER. OOK LEKKER: CHOCOPASTA OP EEN *PANNENKOEK*. ALS TIENER GING IK VAAK NAAR PARIJS EN DAAR VIND JE OP ELKE STRAATHOEK EEN KRAAM-PJE WAAR JE DIE COMBINATIE KUNT BESTELLEN. BOMVOL SUIKER NATUURLIJK, WAARDOOR IK NA ZO'N *crêpe* DOOR DE STRATEN VAN DE MODESTAD STUITERDE. ALS JE JE CHOCOLADEPASTA *ZELF* MAAKT, ZONDER SUIKER, KUN JE ZONDIGEN ZONDER *schuldgevoel*. DEZE VARIANT IS ZELFS GOED VOOR JE LIJF!

BEREIDINGSTIJD
20 MINUTEN

INGREDIËNTEN
··· 135 G HAZELNOTEN
··· 30 G RAUWE CACAOPOEDER
··· 1 EL KOKOSOLIE
··· 1 EL HAZELNOOTOLIE
··· 5 EL AGAVESIROOP
··· 1 EL VANILLE-EXTRACT
··· 1 SNUFJE ZEEZOUT

BENODIGDHEDEN
KEUKENMACHINE

BEREIDING

Verwarm de oven voor op 180 °C. Rooster de hazelnoten gedurende 8 tot 10 min. in de oven totdat ze wat donkerder worden. Pel de hazelnoten door ze op een keukendoek te leggen en de velletjes eraf te wrijven. Maal de nootjes ongeveer 7 min. in de keukenmachine, tot een gladde boter ontstaat. Voeg daarna de cacaopoeder, kokosolie, hazelnootolie, agavesiroop, zout en het vanille-extract toe en mix alles nog 1 min. tot een glad geheel. Als de massa nog wat te droog is, kun je nog wat olie toevoegen. Bewaar de pasta in een glazen pot en breng hem een halfuur voordat je hem wilt eten op kamertemperatuur. Heerlijk voor op speltbrood, een rijstwafel, crunchy cracker of in desserts.

NOTENPASTA

MIJN *lievelingsbeleg!* IK EET HET 'T ALLERLIEFST OP EEN *rijstwafel* MET *avocado.* MAAR IK GEBRUIK NOTENPASTA OOK ALS *topping* OP HAVERMOUT OF KOEKJES. EN SOMS KAN IK HET GEWOON NIET LATEN OM MIJN *vinger* IN DE POT TE DOPEN.

BEREIDINGSTIJD
CA. 20 MINUTEN

INGREDIËNTEN
··· 150 G AMANDELEN
··· 150 G HAZELNOTEN
··· SNUFJE ZEEZOUT

BENODIGDHEDEN
KEUKENMACHINE

BEREIDING

Verwarm de oven voor op 180 ºC. Spreid de amandelen en hazelnoten uit op een bakplaat met een beetje zeezout en rooster ze gedurende 8 tot 10 min. in de oven totdat ze wat donkerder worden. Haal ze uit de oven en laat ze afkoelen. Doe ze in de keukenmachine en maal ze fijn. Het duurt zo'n 5 tot 10 min. en je zult zien dat de noten door verschillende stadia gaan. Ze gaan van grove kruimels naar fijn meel en dan zie je dat daarna de notenolie langzaam vrijkomt. Je moet blijven mixen totdat alles vloeibaar en romig wordt. Doe er eventueel nog wat zeezout bij en schep de pasta daarna in een kleine glazen weckpot. Het is erg lang houdbaar, maar ik weet niet of je er zuinig mee kunt doen. Ik niet in ieder geval!

HOMEMADE HUMMUS

IK *verslind* HUMMUS! IK EET HET OP EEN RIJSTWAFEL, LEKKER NAAST MIJN *salade*, OF IK DIP HET MET SELDER-IJSTENGELS ALS *snack*. JE KUNT DE KIKKERERWTENPASTA GEWOON IN DE SUPERMARKT KOPEN, MAAR HET ALLERLEUKST, LEKKERST ÉN HET GEZONDST IS HET NATUURLIJK OM HET ZELF TE MAKEN. EN DAT IS OOK NOG EENS *very easy!*

∽

BEREIDINGSTIJD
CA. 15 MINUTEN

INGREDIËNTEN (CA. 4 PERSONEN)
⋯ 2 TEENTJES KNOFLOOK
⋯ 1 EL TAHIN (SESAMPASTA)
⋯ 50 ML VERS CITROENSAP
⋯ 4 EL GEFILTERD WATER
⋯ 300 G KIKKERERWTEN UIT POT
⋯ 1 TL GEMALEN KOMIJNZAAD
⋯ 1 EL OLIJFOLIE, PLUS EXTRA
⋯ MESPUNTJE CAYENNEPEPER, PLUS
   WAT EXTRA
⋯ 1 TL ZEEZOUT

BENODIGDHEDEN
BLENDER

BEREIDING

Hak de knoflook fijn. Doe hem met de tahin, het citroensap en water in de blender en mix tot een glad geheel. Voeg vervolgens de kikkererwten, het komijnzaad, de olijfolie en de cayennepeper bij het mengsel. Mix nog een keer goed en voeg als het nodig is wat extra water toe. Strooi het zeezout erbij en mix nog 1 min., tot er een zacht mengsel ontstaat. Serveer het in een kom, besprenkeld met wat olijfolie en cayennepeper.

Je kunt de jam ten minste een week in een luchtdicht afgesloten pot in de koelkast bewaren.

JAM MET CHIAZAAD

Zoete JAM, ZONDER SUIKER EN MET EEN EXTRA *boost* VAN CHIAZAAD. IK MAAK EENS IN DE ZOVEEL TIJD EEN POTJE, DAT IK DAN BINNEN EEN WEEK WEER LEEG HEB. HEERLIJK OP EEN CRACKER, MAAR OOK DOOR JE *havermout* OF ALS TOPPING VOOR *muffins* OF EEN TAART.

BEREIDINGSTIJD
CA. 30 MINUTEN

INGREDIËNTEN
··· 300 G VERSE BOSBESSEN
··· 3 EL AHORNSIROOP, OF NAAR SMAAK
··· 2 1/2 EL CHIAZAAD
··· 1 TL VANILLE-EXTRACT

BEREIDING
Breng de bosbessen en de ahornsiroop aan de kook. Roer regelmatig en laat het mengsel 5 min. op een laag vuurtje sudderen. Pureer de bosbessen met een aardappelstamper of een vork en roer dan het chiazaad erdoorheen. Kook het nog ongeveer 15 min. op laag vuur. Roer regelmatig! Haal het van het vuur zodra het dik wordt en voeg het vanille-extract toe. Vind je het nog niet zoet genoeg, dan kun je er nog wat meer ahornsiroop bij doen.

Tip! Kneus de basilicumblaadjes met de vijzel voor een intensere basilicumsmaak.

PESTO

IK HEB ALTIJD EEN *basilicumplantje* IN DE KEUKEN STAAN EN IK BETRAP MEZELF ER SOMS OP DAT IK MET MIJN VINGERS EEN BLAADJE KNEUS EN ERAAN RUIK. ZO LEKKER! DEZE *homemade* PESTO RUIKT OOK ZO HEERLIJK EN SMAAKT EVEN *fantastisch*. HET FIJNE AAN ZELF PESTO MAKEN IS DAT JE PRECIES WEET WAT ERIN ZIT, ZONDER TOEGEVOEGDE STOFJES. IK EET PESTO OP EEN CRUNCHY CRACKER, ALS DIP BIJ DE BORREL OF ALS *finishing touch* VAN EEN LEKKERE PASTA. *Delizioso!*

BEREIDINGSTIJD
10 MINUTEN

INGREDIËNTEN
··· 2 TEENTJES KNOFLOOK
··· 45 G PIJNBOOMPITTEN
··· 1 SJALOTJE
··· 60 G BASILICUMBLAADJES
··· 50 G VERS GERASPTE HARDE
     GEITENKAAS
··· 100 ML EXTRA VIERGE OLIJFOLIE
··· 10 G PETERSELIE

BENODIGDHEDEN
BLENDER OF KEUKENMACHINE

BEREIDING
Maal alle ingrediënten fijn in de blender of keukenmachine.

MAYONAISE

MISSCHIEN NIET HET MEEST *gezonde* RECEPT IN DIT BOEK, MAAR EEN KLODDER MAYO IS ALTIJD *beter* EN LEKKERDER ALS JE HEM ZELF GEMAAKT HEBT. MAYONAISE MAKEN VERGT WEL WAT *geduld* EN HET IS ELKE KEER SPANNEND OF HIJ *de juiste dikte* HEEFT. MIJN VADER MAAKTE HET VROEGER VAAK ZELF, MAAR HET WAS ALTIJD MAAR DE VRAAG OF HET HEM LUKTE. NA VEEL PROBEREN IS DIT VOLGENS MIJ HET *ultieme* RECEPT.

BEREIDINGSTIJD
CA. 20 MINUTEN

INGREDIËNTEN
··· 3 TEENTJES KNOFLOOK
··· 2 EIERDOOIERS
··· 1 EL CITROENSAP
··· 1 TL GEMBERPOEDER
··· 1 TL MOSTERD
··· ZEEZOUT EN PEPER
··· MESPUNTJE GEDROOGDE PETERSELIE
··· 200 ML RIJSTOLIE

BENODIGHEDEN
VIJZEL, STAAFMIXER

BEREIDING

Wrijf de knoflook met een vijzel fijn en doe hem in een maatbeker. Voeg de overige ingrediënten toe, behalve de olie. Zet er een staafmixer in en begin er tijdens het mixen wat olie in te druppelen, totdat het mengsel wat dikker wordt. Daarna kun je de olie wat sneller toevoegen, totdat hij helemaal is opgenomen. Voeg eventueel nog wat zout en peper toe. Gebruik de mayonaise direct of bewaar hem tot gebruik in de koelkast.

TOMATENSAUS

Klassieke TOMATENSAUS MAAK JE OOK LEKKER ZELF. VEEL *gezonder* DAN SAUSJES UIT EEN PAK OF EEN POT. EN JE PROEFT HET OOK! JE KUNT DEZE SAUS ZO *pittig* MAKEN ALS JE ZELF WILT. LEKKER OVER DE PASTA MET EEN BEETJE GEITENKAAS EN *basilicum,* MAAR VLEESETERS KUNNEN ER OOK *gehakt* OF *kip* AAN TOEVOEGEN.

BEREIDINGSTIJD
CA. 70 MINUTEN

INGREDIËNTEN (CA. 4 PERSONEN)
··· 1 1/2 KG RIJPE ROMATOMATEN
··· 3 TEENTJES KNOFLOOK
··· 1 UI
··· 1 EL OLIJFOLIE
··· 1 TL GEDROOGDE OREGANO
··· 1 TL GELE SAMBAL, OPTIONEEL
··· ZEEZOUT EN ZWARTE PEPER
··· PAAR BLAADJES VERS BASILICUM,
OPTIONEEL

BEREIDING

Snijd de tomaten, knoflook en ui in heel kleine stukjes. Doe de olijfolie in een middelgrote pan en bak de ui 2 min. op middelhoog vuur. Doe vervolgens de knoflook, oregano, tomaten en eventueel de sambal erbij. Laat de saus 30 min. sudderen. Roer regelmatig met een houten lepel, zo voorkom je dat hij aanbrandt. Zodra de saus dik is geworden, wrijf je hem door een zeef. Doe hem daarna weer terug in de pan en laat hem op een laag vuurtje nog ongeveer 30 min. sudderen. Breng hem op smaak met zout en peper en bestrooi hem eventueel met nog wat kleingesneden basilicum.

SNACKSAUS

IK ZORG DAT IK ALTIJD EEN POTJE VAN DEZE SAUS IN DE *koelkast* HEB STAAN. IK *dip* ER (ZELFGEMAAKTE) FRIETJES IN, *selderijstengels* OF WORTELS. *So good!*

BEREIDINGSTIJD
CA. 4 UUR

INGREDIËNTEN
··· 180 G CASHEWNOTEN
··· 1 EL WATER
··· 1 TL CITROENSAP
··· 3 EL AMANDELMELK (ZIE BLZ. 156)
··· SNUFJE ZEEZOUT

BENODIGDHEDEN
BLENDER

BEREIDING

Week de cashewnoten minimaal 4 uur in water. Doe de noten met de andere ingrediënten in de blender en mix ze tot een romig geheel. Yam!

GUACAMOLE

EEN GROTE *hit!* IK MAAK DEZE *avocadodip* MEESTAL VOOR EEN FEESTJE, ALS BORRELHAPJE OF VOOR EEN BBQ MET VRIENDEN. EEN NADEEL: NA EEN PAAR MINUTEN IS HET KOMMETJE MEESTAL AL LEEG... *Everybody loves it!* OOK SUPERLEKKER OP EEN CRUNCHY *cracker* OF RIJSTWAFEL, ALS *lunch* OF TUSSENDOORTJE.

❧

BEREIDINGSTIJD
CA. 15 MINUTEN

INGREDIËNTEN (4 TOT 8 PERSONEN)
⋯ 4 RIJPE AVOCADO'S
⋯ 1 TEENTJE KNOFLOOK
⋯ 3 TAKJES VERSE KORIANDER
⋯ 8 CHERRYTOMAATJES
⋯ 1/2 RODE UI
⋯ 2 EL EXTRA VIERGE OLIJFOLIE
⋯ ZEE- OF HIMALAYAZOUT EN
   ZWARTE PEPER
⋯ LIMOENSAP, OPTIONEEL

BENODIGDHEDEN
BLENDER

BEREIDING
Halveer de avocado's, verwijder de pit, schep met een lepel het vrucht-vlees eruit en doe het in de blender. Snijd het teentje knoflook, de korian-der, tomaatjes en ui in kleine stukjes. Schep de knoflook en de helft van de gesneden ui bij de avocado's. Mix het tot een romig geheel. Doe het mengsel in een kom en voeg de rest van de ingrediënten toe. Roer goed. Besprenkel de dip eventueel met wat limoensap.

AVOCADO

One of my favorite fruits! Avocado is gezond en lekker. En denk je dat avocado's ongezond zijn vanwege het hoge vetpercentage? Niets van waar! Ze bevatten juist erg veel goede vetten. Als je op je gewicht let, kun je gewoon avocado's blijven eten. Bovendien zit de vrucht vol met vezels waardoor je minder snel trek krijgt. Heerlijk in salades, smoothies en voor op toastjes.

SID'S DIP

DIT RECEPT IS BEDACHT DOOR NIEMAND MINDER DAN... MIJN *lover*. IK WAS TOTAAL *verrast* TOEN HIJ DIT VOOR MIJN *neus* ZETTE OP EEN TOASTJE. JE KUNT JE MISSCHIEN VOORSTELLEN DAT IK BIJ ONS THUIS ALTIJD BEPAAL WAT DE POT SCHAFT, MAAR IK MOET TOEGEVEN: *the man can cook!* WE ETEN DEZE *visdip* BIJ DE BORREL ALS SNACK, MAAR SOMS OOK OP EEN *rijstwafel* ALS LUNCH.

BEREIDINGSTIJD
15 MINUTEN

INGREDIËNTEN
··· 150 G GEROOKTE MAKREEL
··· 2 TEENTJES KNOFLOOK
··· 1 RODE UI
··· 150 ML TOMATENSAUS (ZIE BLZ. 134)
··· 1/2 VEGETARISCH BOUILLONBLOKJE
··· 1 TL GEDROOGDE OREGANO
··· 2 MESPUNTJES CAYENNEPEPER
··· ZWARTE PEPER

BENODIGDHEDEN
BLENDER

BEREIDING

Snijd de makreel doormidden en haal de graatjes eruit. Doe de makreel in de blender samen met de knoflook en de rode ui. Mix alles tot een glad wit sausje. Doe het mengsel samen met de tomatensaus in de koekenpan. Verwarm het op een laag vuurtje en verkruimel ondertussen het halve bouillonblokje eroverheen. Roer goed tot een dik geheel ontstaat en laat afkoelen. Breng de dip op smaak met gedroogde oregano, cayennepeper en zwarte peper.

GELE SAMBAL

Ooh la la... DEZE SAMBAL IS *hot!* JE MAAKT 'M HEEL MAKKELIJK ZELF. WEL ZO GEZOND, ZONDER TOEGEVOEGDE SUIKERS EN KUNSTMATIGE STOFJES. AF EN TOE PITTIG ETEN IS GOED VOOR JE LIJF EN VOOR JE *mind.* HET GEEFT JE LETTERLIJK EEN *oppepper.* IK DOE EEN BEETJE VAN DEZE SAMBAL OP EEN CRUNCHY CRACKER MET HOMEMADE HUMMUS, OF IK MIX HET DOOR DE PASTASALADE OF DE *saotosoep* OM DE BOEL OP TE *spicen.*

BEREIDINGSTIJD
15 MINUTEN

INGREDIËNTEN (4 PERSONEN)
··· 20 GROTE GELE MADAME
    JEANETTE CHILIPEPERS
··· 2 GROTE TENEN KNOFLOOK
··· 1 KLEINE UI
··· 1 EL MOSTERD
··· 4 EL SESAMOLIE
··· 1 EL CITROEN

BENODIGDHEDEN
BLENDER

BEREIDING

Doe de chilipepers, knoflook, ui en mosterd in de blender. Voeg daarna terwijl de machine draait, beetje bij beetje de sesamolie toe. Knijp een halve citroen erboven uit en mix het geheel tot een dikke pap.

Bewaar de tahin in een luchtdicht afgesloten glazen pot in de koelkast. Je kunt het maandenlang bewaren.

TAHIN

TAHIN EET IK AL SINDS IK *twee* WAS. ALS KIND MAAKTE IK ER *taartjes* MEE. OP EEN RIJSTWAFEL, MET HONING EN *tarwekiemen*. NU NOG STEEDS EET IK DAT VAAK ALS SNACK OF LUNCH. JE KUNT DE SESAMPASTA KOPEN IN DE MEESTE SUPERMARKTEN, MAAR ZELF MAKEN IS NET ZO *makkelijk* EN EIGENLIJK *lekkerder*.

BEREIDINGSTIJD
CA. 30 MINUTEN

INGREDIËNTEN
··· 450 G SESAMZAAD
··· ZEEZOUT

BENODIGDHEDEN
BLENDER OF KEUKENMACHINE

BEREIDING

Je brengt de zaadjes op smaak door ze te roosteren. Verwarm eerst de oven voor op 180 °C en leg de zaadjes op een bakplaat. Zodra de oven op de juiste temperatuur is, zet je de bakplaat ongeveer 10 tot 15 min. in de oven. Roer af en toe in de zaadjes, zo voorkom je dat de onderkant verbrandt. Zodra de zaadjes zijn afgekoeld, doe je alles in de blender of keukenmachine en voeg je wat zeezout toe. Mix het in 5 tot 10 min. tot een glad en romig geheel en de tahin is ready to eat!

Drinks

Chase nothing but drinks and dreams

*Elke dag geniet ik van verse
sapjes, smoothies en hot drinks.
Ze zijn eigenlijk de basis van mijn
healthy lifestyle. Als ontbijt,
tussendoortje, of als energy shot.
Soms fiets ik langs een sapbar,
maar het liefst maak ik ze zelf.
Even de ingrediënten snijden,
in de blender en voilà!*

SMOOTHIES

WIE MIJ VOLGT OP *social media* WEET DAT IK DOL BEN OP *sappen* EN SMOOTHIES. IK KAN NIET VAAK GENOEG BENADRUKKEN HOE *easy* HET IS OM GOED VOOR JE LIJF TE ZORGEN. JE SNIJDT DE INGREDIËNTEN, GOOIT ZE IN DE BLENDER... *et voilà.* EN VARIËREN KAN *oneindig*, DUS JE HOEFT GEEN DAG HETZELFDE TE DRINKEN. *Inspiratie* NODIG? DIT ZIJN MIJN LIEVELINGSSMOOTHIES EN MET EEN BEETJE *extra* HEB JE EEN *superboost!*

ᘓᘓ

INGREDIËNTEN (VOOR 1 PERSOON, 500 ML)

Maroon booster
··· 1 PEER
··· 1 APPEL
··· 45 G SPINAZIE
··· 100 G BOSBESSEN
··· 100 ML ONGEZOETE RIJSTMELK
··· SAP VAN 1 CITROEN EN 1 SINAASAPPEL
··· 1/2 BEVROREN BANAAN
SUPERBOOST:
··· 1 TL TARWEGRASPOEDER

Detox
··· 1 BANAAN
··· 1 PEER
··· 10 G PETERSELIE
··· 1 TL GEMBERPOEDER
··· 250 ML KOKOSWATER
SUPERBOOST:
··· 1 TL CHLORELLAPOEDER

Sunshine
··· 2/3 MANGO
··· SAP VAN 2 SINAASAPPELEN
··· SAP VAN 1 LIMOEN
··· 1 EL KOKOSVET
··· 100 ML AMANDELMELK (ZIE BLZ. 156)
··· 1 TL HONING
SUPERBOOST:
··· 1 TL GUARANAPOEDER

Summer breeze
··· 1/2 MANGO
··· 1/2 AVOCADO

··· 5 AARDBEIEN
··· 1 BANAAN
··· 250 ML KOKOSWATER
SUPERBOOST:
··· 1 TL MACAPOEDER

Mean green
··· SAP VAN 1 LIMOEN EN 1 SINAASAPPEL
··· 15 G WATERKERS
··· 20 G BOERENKOOL
··· 1/2 APPEL
··· 1/2 HANDJE VERSE MUNTBLAADJES
··· 30 ML VLIERBESSENSAP
··· 1/2 PEER
··· 150 ML RIJSTMELK, ONGEZOET
SUPERBOOST:
··· 1 TL MACAPOEDER

Skinny green
··· SAP VAN 1/2 CITROEN
··· 1/2 SCHIJF ANANAS
··· 1 AVOCADO
··· 120 G IJSBERGSLA
··· MESPUNTJE GEMBER
··· 200 ML KOKOSWATER
SUPERBOOST:
··· 1 EL TARWEGRAS

Coffee blast
··· 120 ML BIOLOGISCHE KOFFIE
··· 100 ML AMANDELMELK (ZIE BLZ. 156)
··· 1 EL RAUWE CACAO
··· 1 EL NOTENPASTA

··· 1 BANAAN
··· 1 TL AGAVESIROOP, OPTIONEEL

Hennepsmoothie
··· 200 ML HENNEPMELK
··· 1 BANAAN
··· 1 APPEL
··· 80 G BEVROREN BOSBESSEN
··· 30 ML VLIERBESSENSAP
··· 1 TL KANEEL
··· 1 EL HONING, KOKOSBLOESEMSIROOP
SUPERBOOST:
··· 1 TL CAMUCAMUPOEDER

Oranje boven
··· 1 BANAAN
··· 150 ML AMANDELMELK (ZIE BLZ. 156)
··· 1 TL KANEEL
··· 1 EL KOKOSOLIE
··· 1 TL GEELWORTEL
··· 25 G GOJIBESSEN
··· MESPUNTJE GEMALEN ZWARTE PEPER

Sourberry power
··· 150 G BEVROREN BLAUWE BESSEN, AARDBEIEN EN FRAMBOZEN
··· 75 ML CRANBERRYSAP
··· 200 ML RIJSTMELK
··· 100 ML KOKOSMELK
··· 1 EL GEBROKEN LIJNZAAD
SUPERBOOST:
··· 1 TL LUCUMAPOEDER
··· 1 EL RAUWE PROTEÏNEPOEDER

BENODIGDHEDEN
BLENDER

BEREIDING

Mix simpelweg alle ingrediënten in de blender tot een lekkere frisse smoothie en geniet!

Coffee blast

CITRUSVRUCHTEN

Citrusvruchten ziet er niet alleen prachtig uit als je ze opensnijdt, ze zijn ook nog eens heel gezond. De verschillende soorten citrusvruchten zoals citroenen, limoenen, mandarijnen en grapefruits helpen je om je vitamine C-gehalte op peil te houden. Heerlijk om je dag mee te beginnen of de dorst mee te lessen.

FEELGOOD DRINK

IK *eindig* MIJN DAG EEN PAAR KEER PER WEEK MET DIT FEELGOOD-DRANKJE. IK WORD ER HEEL *relaxed* VAN. GEMBER HEEFT EEN VERWARMEND EFFECT, *kamille* KALMEERT JE LICHAAM, *citroen* EN *geelwortel* VERBETEREN JE *spijsvertering*. NA DIT DRANKJE *slaap* IK HEERLIJK EN KRIJGT MIJN *huid* EEN BOOST. DE VOLGENDE DAG STA IK MET MEER ENERGIE OP!

BEREIDINGSTIJD
5 MINUTEN

INGREDIËNTEN
(VOOR 1 GROTE MOK OF GLAS)
··· 1 TL GEELWORTEL
··· 1 MESPUNTJE GEMBERPOEDER
··· 1 TL HONING
··· ZAKJE KAMILLETHEE
··· 1 MESPUNTJE GEMALEN ZWARTE
    PEPER
··· 1/2 CITROEN

BEREIDING
Doe alle ingrediënten in een grote mok of een groot glas en giet daar kokend water over.

Tip! Gebruik het overgebleven mangovruchtvlees voor een smoothie. Heerlijk met boerenkool, appel-, citroen- en grapefruitsap en wat water!

ICE TEA

DIT IS EEN HEERLIJK VERKOELEND, DORSTLESSEND *zomerdrankje.* SERVEER IN EEN *cocktailglas,* PARASOLLETJE ERIN EN *you are ready to enjoy the sun!*

BEREIDINGSTIJD
15 MINUTEN

INGREDIËNTEN (500 ML)
··· 2 MANGO'S
··· 125 ML KOUDE GROENE THEE
··· 150 ML KOKOSMELK
··· 1 EL HONING

BENODIGDHEDEN
JUICER, BLENDER

BEREIDING

Schil de mango's en verwijder de pitten. Pers ze in de juicer, schenk het sap met de andere ingrediënten in de blender en mix tot een glad geheel.

HOT ENERGY DRINK

DIT DRANKJE MAAKT JE *gelukkig*, KRACHTIG, EN GEEFT JE *instantenergie!* CAYENNEPEPER IS NET ALS LIMOEN EN *munt* GOED VOOR DE STOELGANG, MAAR OOK VOOR JE HUID, HET *immuunsysteem*, ÉN HET GEEFT JE EEN ENERGIEBOOST. *Kaneel* MAAKT DE THEE LEKKER KRUIDIG, REGULEERT JE BLOEDSUIKERSPIEGEL EN IS EEN KRACHTIGE *antioxidant*. DE HONING IS GOED TEGEN *infecties* EN MAAKT DIT DRANKJE LEKKER ZOET.

BEREIDINGSTIJD
CA. 5 MINUTEN

INGREDIËNTEN (1 GROTE MOK)
··· 1/2 LIMOEN
··· MESPUNTJE KANEEL
··· MESPUNTJE CAYENNEPEPER
··· 1 TL HONING
··· HANDJEVOL MUNT

BEREIDING

Pers de halve limoen boven de mok uit en voeg 2,5 dl kokend water toe. Doe vervolgens de rest van de ingrediënten behalve de munt erbij en roer met een lepeltje alles goed door elkaar. Leg daarna de munt erin en laat het 3 min. trekken. Een heerlijke middagboost!

HAZELNOOTMELK

HAZELNOOTMELK GEBRUIK IK OM *koekjes* EN ANDERE *zoetigheid* TE MAKEN. HET IS BOVENDIEN ERG LEKKER OM TE *mixen* IN SMOOTHIES.

BEREIDINGSTIJD
3 1/2 UUR

INGREDIËNTEN (VOOR 1 LITER)
··· 250 G HAZELNOTEN
··· 3 DADELS, PITTEN VERWIJDERD
··· 1 LITER GEFILTERD WATER
··· 1/2 TL VANILLEPOEDER, ONGEZOET
··· SNUFJE ZEEZOUT

BENODIGDHEDEN
KAASDOEK OF FIJNE ZEEF, BLENDER

BEREIDING

Week de noten en de dadels zo'n 3 uur. Mix hierna alle ingrediënten op de hoogste stand in de blender. Giet de inhoud daarna door een kaasdoek of zeef en vang de hazelnootmelk op in een kom. Knijp de doek goed uit of druk het vocht eruit met een lepel als je een zeef gebruikt. Giet de melk eventueel in een fles of gebruik het meteen voor een recept.

Power
food

IN MIJN RECEPTEN GEBRUIK IK NOTEN-, RIJST-, HENNEP- OF KOKOSMELK. MEESTAL KOOP IK EEN PAK BIJ DE NATUURWINKEL OF DE BIOLOGISCHE SUPERMARKT, MAAR EIGENLIJK KUN JE DEZE MELK HEEL GOED ZELF MAKEN. ABSOLUUT NIET MOEILIJK! EN HET VOORDEEL IS DAT JE DE HOEVEELHEID ZELF KUNT BEPALEN. JE KUNT DE MELK OOK HELEMAAL NAAR JE EIGEN SMAAK MAKEN, ZOETER OF KRUIDIGER BIJVOORBEELD, DOOR INGREDIËNTEN TOE TE VOEGEN. ZELFGEMAAKTE MELK KUN JE 4 À 5 DAGEN, GOED AFGESLOTEN, IN DE KOELKAST BEWAREN. OF JE VRIEST HET IN ALS JE TE VEEL GEMAAKT HEBT. MIJN FAVORIET: ROMIGE NOTENMELK.

Tip! Gooi de overgebleven amandelpulp niet weg! Verwerk het bijvoorbeeld in een taart of zelfgebakken brood.

AMANDELMELK

MET AMANDELMELK MAAK IK *'s ochtends* HAVERMOUTPAP, OF IK *verwarm* HET VOOR IN DE *koffie.*

BEREIDINGSTIJD
MINIMAAL 8 1/2 UUR

INGREDIËNTEN (VOOR 1 LITER)
··· 250 G RAUWE, ZOETE AMANDELEN
··· 1 LITER GEFILTERD WATER
··· SNUFJE ZEEZOUT
··· 1/2 TL VANILLEPOEDER, ONGEZOET
··· 1 EL AGAVESIROOP OF HONING, OPTIONEEL

BENODIGDHEDEN
KAASDOEK OF FIJNE ZEEF, BLENDER

BEREIDING

Week de amandelen gedurende 8 tot 12 uur in water. Giet ze hierna af en doe ze samen met 1 liter gefilterd water, zeezout, vanillepoeder en eventueel de agavesiroop of honing in een blender en mix alles 1 tot 2 min. Pak een kom en doe er kaasdoek omheen, of leg er een zeef op. Giet het mengsel door de kaasdoek of zeef. Als je een doek gebruikt, knijp hem dan goed uit, zodat er zo veel mogelijk melk in de kom terechtkomt. Here you go, nu heb je echt lekkere amandelmelk!

HAVERMELK

IK BEN *dol* OP *havermout*. HET IS EEN BEETJE *saai*, MAAR WEL HEEL GOED VOOR JE. DAAROM DOE IK ER VAN ALLES MEE, ZELFS MELK MAKEN!

BEREIDINGSTIJD
30 MINUTEN

INGREDIËNTEN (CA. 700 ML)
··· 50 G HAVERMOUT
··· 750 ML GEFILTERD WATER
··· 1 EL AMANDELOLIE, OPTIONEEL
··· 1 TL VANILLE-EXTRACT OF
      VANILLEPOEDER, ONGEZOET
··· SNUFJE HIMALAYAZOUT
··· EEN PAAR DRUPPELS STEVIA,
      OPTIONEEL

BENODIGDHEDEN
KAASDOEK OF FIJNE ZEEF, BLENDER

BEREIDING
Laat de havermout 20 min. in water weken. Giet dan de havermout af met de zeef en mix het gefilterde water en de havermout een paar minuten in de blender. Giet daarna alles in een kaasdoek of zeef en vang de melk op in een kom. Knijp de doek goed uit of druk het vocht eruit met een lepel als je een zeef gebruikt. Doe de melk weer in de blender en voeg de overige ingrediënten toe. Schenk nadat alles goed is gemixt, de melk in een mooie kan of fles en geniet!

HENNEPMELK

HENNEPZAAD IS EEN *fantastisch* SUPERFOOD VOOR JE SPIEREN, BOTTEN, *tanden* EN HET *ontgiften* VAN JE LICHAAM. JE KUNT ER HEERLIJKE, ROMIGE MELK VAN MAKEN. *Super easy*. EN NEE, JE WORDT ER NIET *high* VAN.

BEREIDINGSTIJD
10 MINUTEN

INGREDIËNTEN (VOOR CA. 1 LITER)
··· 250 ML GEPELD HENNEPZAAD
··· 600 ML GEFILTERD WATER
··· 3 DADELS, PITTEN VERWIJDERD
··· 1 TL VANILLE-EXTRACT OF
      VANILLEPOEDER, ONGEZOET

BENODIGDHEDEN
BLENDER

BEREIDING
Doe het hennepzaad in de blender. Voeg het water, de dadels en het vanille-extract toe. Mix alles in een paar minuten tot een romige, gladde melk. Et voilà! Schenk de hennepmelk net als de andere melksoorten in een fles om hem te bewaren. Je kunt hem gebruiken zoals je normaal gesproken koemelk drinkt of gebruikt.

Groen

SAPJES

DRIE À VIER KEER PER WEEK MAAK IK EEN GROTE BEKER SAP VOOR MEZELF. IK KAN ER *perfect* MIJN SUPERFOODS IN VERWERKEN. EN EENS IN DE ZOVEEL TIJD PLAN IK EEN SAPDAG OM MIJN LICHAAM TE REINIGEN. JE VOELT JE NA ZO'N DAG HEEL *fit* EN *schoon*. HET SLIMST IS OM EVEN MET EEN *voedingscoach* TE OVERLEGGEN WAT VOOR JOU EEN PASSENDE SAPKUUR IS. BIJ HET JUICEN KOM JE EEN HEEL EIND MET EEN SAPCENTRIFUGE, MAAR HET IS SLIMMER OM EEN *slowjuicer* AAN TE SCHAFFEN. DAARMEE BLIJVEN DE *smaken* EN *vitaminen* VAN HET FRUIT EN DE GROENTEN LANGER BEWAARD.

BENODIGDHEDEN
BLENDER, SLOWJUICER OF
SAPCENTRIFUGE

Groen
INGREDIËNTEN (400 ML)
- 1 CITROEN
- 6 STRONKJES BOERENKOOL
- 1/2 KOMKOMMER
- 6 G PETERSELIE
- 1 APPEL
- 1 SCHIJF ANANAS

BEREIDING

Schil de citroen en snijd dan alle ingrediënten in stukjes. Pers alles in de juicer. Easy does it!

Geel
INGREDIËNTEN (400 ML)
- 1/2 CITROEN
- 40 G VENKEL
- 1 SCHIJF ANANAS
- 200 ML KOKOSWATER
- 1 EL HONING
- 1 CM GEMBER
- 1 TL GEELWORTEL
- 1/2 TL KANEEL

BEREIDING

Schil de citroen. Snijd de venkel, citroen en ananas in kleine stukjes en pers ze in de juicer. Schenk het sap in de blender, doe alle andere ingrediënten erbij en mixen maar!

Spicy
INGREDIËNTEN (400 ML)
- 3/4 KOMKOMMER
- 1 APPEL
- 1 CM GEMBER
- 2 STENGELS SELDERIJ
- 1 BANAAN

BEREIDING

Pers alles behalve de banaan in de juicer. Doe het sap en de banaan in de blender, mix, en je hebt een heerlijke spicy juice.

Rood
INGREDIËNTEN (400 ML)
- 1 APPEL
- 4 KLEINE WORTELS
- 1 GROTE RAUWE BIET
- 1 LIMOEN
- 1 CM GEMBER
- 50 ML VLIERBESSENSAP
- HANDJEVOL MUNT

BEREIDING

Snijd alle ingrediënten behalve de munt in stukjes en pers ze uit in de juicer. Schenk vervolgens het sap in de blender. Voeg de munt erbij, mixen en juice time!

Pink
INGREDIËNTEN (400 ML)
- 220 G AARDBEIEN, KROONTJES VERWIJDERD
- 75 G WATERMELOEN
- 1 SINAASAPPEL
- 1 LIMOEN

BEREIDING

Je kunt de vruchten schillen en in de juicer doen, dan krijg je een echt sapje zonder vruchtvlees. Maar ze mogen natuurlijk ook in de blender. Pers dan wel eerst het sap van de sinaasappel en limoen uit. Het lijkt dan meer op een smoothie, maar is net zo lekker.

GOJIBESSENSHAKE

GOJIBESSEN HEBBEN EEN *friszure* KERSEN-/CRANBERRYSMAAK. DE *besjes* BEVATTEN MEER DAN TWINTIG (!) MINERALEN EN MAAR LIEFST ACHTTIEN *aminozuren.* OOK STAAN ZE BEKEND OM HET *vertragen* VAN HET *verouderingsproces* VAN JE LICHAAM. DEZE SHAKE IS DUS NIET ALLEEN *superlekker* EN VERFRISSEND, HIJ GEEFT JE LIJF OOK EEN FLINKE *boost!* IK MAAK DE SHAKE VAAK ALS IK EEN MIDDAGDIPJE VOEL OPKOMEN, OF ALS *powerontbijt.*

BEREIDINGSTIJD
3 UUR EN 10 MINUTEN

INGREDIËNTEN (1 PERSOON)
··· 3 EL GOJIBESSEN
··· 200 ML KOKOSWATER
··· 1 BANAAN
··· GROTE HANDVOL BEVROREN
    BOSVRUCHTEN
··· 1 TL LIJNZAAD
··· 1 TL CHIAZAAD

BENODIGDHEDEN
BLENDER

BEREIDING

Doe de gojibessen in een schaaltje en voeg 200 ml kokoswater toe. Laat het een nacht of 3 uurtjes wellen. De inhoud van het schaaltje gaat samen met de banaan, bevroren bosvruchten, het lijnzaad en chiazaad in een blender. Mix tot een heerlijke shake.

Power
food

"one fresh juice a day keeps a doctor away."

Dagschema's

GEEN ENKELE DAG IS *hetzelfde*. WAT IK EET EN DRINK, HANGT NIET ALLEEN AF VAN WAAR IK *trek* IN HEB. IK STEM MIJN VOEDING *zorgvuldig* AF OP WAT IK OP EEN DAG DOE. HIER ZIJN MIJN IDEALE *voedingsschema's* VOOR EEN *sporty*, EEN *busy* EN EEN *lazy* DAY.

Sporty day

07.00 uur	**QUINOA-ONTBIJT** (blz. 20)
08.00 uur	**SPORTEN**
09.30 uur	**HENNEPSMOOTHIE** (blz. 146)
12.00 uur	**REGENBOOGSALADE** (blz.36)
15.00 uur	**RAW SNACKREEP** (blz. 88)
18.00 uur	**OVENSCHOTELTJE** (blz. 77)

Busy day

07.30 uur	**WARM WATER MET SAP VAN EEN HALVE CITROEN**
08.00 uur	**KICKSTART ONTBIJT** (blz. 17)
10.30 uur	**CHOCOSNACK** (blz. 85)
13.00 uur	**QUINOASUSHI** (blz. 32) **MET GROENE SAP** (blz. 159)
15.30 uur	**BOERENKOOLCHIPS** (blz. 98)
18.30 uur	**ZUCCHETTIPASTA** (blz. 70)
20.00 uur	**FEELGOOD DRINK** (blz. 151)

Lazy day

09.00 uur	**SWEET PANCAKES** (blz. 24)
12.00 uur	**CHOCOMUFFIN MET CHOCOLADE-PASTA ON TOP** (blz. 113)
13.30 uur	**PLAKJE OSAWACAKE** (blz. 50)
15.30 uur	**3 OREO'S** (blz. 111)
18.00 uur	**PASTA MET ZALM** (blz. 72)
19.30 uur	**VANILLE-KOKOSIJS** (blz. 108)

Mijn Powerfood-ingrediënten, hun werkzame stoffen en interessante weetjes.

Agavesiroop

Agavesiroop is afkomstig van de agave, een soort cactus. Erg zoet, maar het heeft een veel lagere glycemische index dan suiker. Dat wil zeggen dat je bloedsuikerspiegel hier niet zo erg van piekt als van suiker. Bevat geen vitaminen en mineralen meer. Dus neem het met mate!

Ahornsiroop

Ingedikt sap van de esdoorn. Bevat veel sucrose, weinig fructose en goede mineralen zoals ijzer, calcium en vitamine B2.

Amandelen

Bevatten veel vezels en dat is bevorderlijk voor de spijsvertering. Ze bevatten ook veel vitamine B en dat is goed voor het hart en de hersenen. Ze zijn tevens een bron van vitamine E en daar is de huid dol op. Ik gebruik zowel hele amandelen als amandelmeel.

Amaranth

Bevat ijzer, calcium, magnesium, vitamine B en E, fosfor en zink. Ook is het rijk aan plantaardige eiwitten. Goed voor de botten en spieren.

Avocado

Rijk aan eiwitten en vetten. En bevat carotenoïden, selenium en zink. Goed voor de ogen en de huid. Avocado helpt ontstekingen voorkomen en verminderen. Dat je er dik van wordt, is echt een fabel! Een avocado bevat goede vetten die energie geven.

Bananen

Het is een mythe dat bananen de darmen verstoppen. Ze bevatten juist veel vezels en goede vetten. Dankzij de kalium zorgen bananen voor een goede vochtbalans. Ze leveren snel energie en helpen tegen een kater omdat er magnesium in zit. Een banaan bindt een gerecht en maakt het lekker romig. Ik vind ze gewoon lekker!

Basilicum

Bevat veel vitamine A en K, en mineralen als kalium, mangaan, koper en magnesium. Goed voor het gezichtsvermogen, tegen verkoudheid en misselijkheid. Dankzij het aanwezige ijzer is het plantje goed voor mensen die bloedarmoede willen voorkomen.

Bieten

Zijn voedzaam, zitten boordevol essentiële mineralen en vitaminen, ze houden de spijsvertering op gang, hebben een positief effect op de nieren en last but not least: ze reinigen en zuiveren het lichaam.

Bloemkool

Een winterse bron van vitamine C die de weerstand verhoogt. Bloemkool bevordert de ontgifting van de lever.

Boekweit

Boekweit is glutenvrij en zorgt voor een verzadigd gevoel. Het bevordert het afweersysteem en helpt spieren beter functioneren.

Boerenkool

Bevat een hoge concentratie heilzame voedingsstoffen. Grote hoeveelheden vitamine A, C en K en mangaan. De combinatie van deze vitaminen is goed voor de botten, tanden, weerstand en het immuunsysteem. Boerenkool houdt de bloedsuikerspiegel stabiel. Het aanwezige ijzer is goed voor de lever, vitamine K helpt tegen ontstekingen. Ik maak er stamppotjes, smoothies en chips van (blz. 98).

Cacao (rauw)

Dit is een natuurlijke bron van magnesium die goed is voor botten, spieren en tanden. Rauwe cacao ontspant spieren en bestrijdt stress. En het geeft je door de aanwezige serotonine een goed humeur. Dus geen limiet op chocolade!

Camucamu

Boordevol vitamine C. Ondersteunt de hersenen, ogen, hart, lever, longen, huid en het immuunsysteem. Weert infecties en bevordert sterke pezen en gewrichtsbanden.

Cayennepeper

Goed voor de stoelgang, maar ook voor je huid, het immuunsysteem, én het geeft je een energieboost. Ik strooi het in mijn Hot energy drink (blz. 153) en gebruik het in veel van mijn gerechten!

Chiazaden

Chiazaden zitten vol omega-3, proteïne, ijzer, en door de hoeveelheden vezels geven de zaadjes je een verzadigd gevoel. Het is een goede melkvervanger, want chia is rijk aan calcium en het mineraal borium. En borium versterkt weer de opname van calcium door je lichaam. Healthy!

Chlorella

Een natuurlijke ontgifter die ervoor zorgt dat zware metalen zoals kwik, lood, nikkel en aluminium die je via de voeding en buitenlucht binnenkrijgt, het lichaam veilig kunnen verlaten via de normale spijsvertering. Ben je moe? Neem dan chlorella, dan voel je je snel fitter. Je wordt er sterker en gezonder van. Ik voeg deze algen in poedervorm aan mijn smoothies toe.

Citroen

Bevat veel vitamine C en heeft een reinigend effect op de lever en daarmee ook op de huid. In de maag bevordert citroen de spijsvertering. Ik drink elke ochtend een glas lauw water met vers citroensap. Een ontgiftend begin van de dag!

Courgette

Courgette is rijk aan foliumzuur, kalium, magnesium, vitamine A, B1 en C. Vanwege het foliumzuur is het een ideale groente voor vrouwen die zwanger willen worden of dat net zijn. Courgette bevordert een gezonde huid, een gezonde spijsvertering, en ondersteunt het zenuwstelsel.

Cranberry's

Kleine vitamine C-bommetjes die ook antioxidanten en vezels bevatten. Goed als je veel last hebt van blaasontstekingen, omdat ze voorkomen dat bacteriën zich in slijmvlies nestelen. Ook goed voor hart en bloedvaten, het gebit, en helpt bij maagzweren.

Eieren

Uitstekende vleesvervanger! Eieren zitten boordevol omega-3 en dat zijn goede vetten. It's in a name, ze bevatten veel eiwitten en daarmee vitamine B12. Goed voor stralend haar en sterke nagels.

Erwten

Zijn rijk aan voedingsstoffen zoals vezels, zetmeel, eiwit, en B-vitaminen. Dankzij het aanwezige ijzer voel je je energiek en verbetert de concentratie. Erwten verminderen het risico op infecties.

Gedroogde vruchten

Bevatten veel natuurlijke suikers en zijn daarmee een lekkere zoete toevoeging. Ze zorgen voor een goede stoelgang. Abrikozen, vijgen en dadels vind ik heerlijk in muesli en cruesli. De voedingsstoffen als vitamine B, foliumzuur, ijzer en kalium blijven bij het drogen behouden. Door de vele vezels zijn gedroogde vruchten goed voor de spijsvertering en de stoelgang.

Geelwortel (kurkuma)

Ik ben gek op deze veelzijdige wortel. Hij helpt griep verminderen en wonden en acne genezen. Heeft een ontstekingsremmend effect en ontgift de lever. Schadelijke stoffen kunnen zo gemakkelijker het lichaam verlaten. Ook goed voor de spijsvertering. Prima remedie tegen maagzuur. Het kruid heeft ook een vetverbrandend effect en geeft verlichting bij een opgeblazen gevoel en kramp in de darmen. Het lichaam neemt geelwortel het beste op als je het combineert met zwarte peper. Ik gebruik het in mijn Feelgood drink (blz. 151).

Gember

Gember werkt vochtafdrijvend en is koortswerend. Helpt bovendien bij verkoudheid en hoest. Het bevat veel magnesium en fosfor.

Gojibessen

Rijk aan vitamine B1, B2, B3, B6, C en E, mineralen en essentiële vetzuren. Deze bessen helpen tegen huidveroudering en brengen de bloedsuikerspiegel en het cholesterolgehalte in balans. Heerlijk over m'n Sweet pancakes (blz. 24), in een smoothie en natuurlijk als snack.

Havervlokken/havermout

Bevat onverzadigde vetten, vitamine B, calcium en mineralen. Havervlokken zijn goed voor de botten en houden de honger in toom!

Hennepzaad

Bevat veel plantaardige eiwitten die de spieropbouw en het uithoudingsvermogen stimuleren. Er zitten veel mineralen in, zoals magnesium, kalium, calcium, ijzer, zink, koper, zwavel en borium. Perfect voor sporters. Neem na een intensieve training een hennepsmoothie (blz. 146) dan vul je de eiwitten aan die je tijdens je work-out hebt verbruikt.

Honing

Honing wordt al eeuwenlang gebruikt bij verkoudheid, keelpijn, verminderde weerstand, allergieën, infecties, maagproblemen, bloedarmoede en stijve gewrichten. Ik doe het altijd in mijn Feelgood drink (blz. 151) Echt heerlijk!

Incabes

Bevat de vitaminen A, B1, B2, B3 en C, en calcium, ijzeren fosfor. Vanwege het hoge eiwitgehalte zijn deze bessen ideaal in proteïnesmoothies. Daarmee stimuleer je spieropbouw en -herstel, goed na een intensieve training. Incabessen zijn ook ontstekingsremmend. Ze bieden weerstand tegen vrije radicalen en gaan zo het verouderingsproces tegen.

Kamille

Voel je hoofdpijn of migraine aankomen? Drink dan direct een kop kamillethee. Het kalmeert het zenuwstelsel en helpt bij menstruatiepijn. Ook goed bij griep, verkoudheid, misselijkheid, depressie, stijfheid, allergieën, slapeloosheid, spit, overgangsklachten en steenpuisten. Kamille is ontstekingsremmend, pijnstillend en desinfecterend.

Kaneel

Voorkomt schommeling van de bloedsuikerspiegel. Kaneel heeft een verwarmend effect en weert maagkrampen. Ik vind het heerlijk om in mijn hot energy drink te doen (blz. 153) en vind het een lekkere toevoeging aan mijn havermout!

Kikkererwten

Deze ronde peulvrucht is caloriearm en geeft snel een verzadigd gevoel. Het houdt de bloedsuikerspiegel stabiel en bevat veel mineralen, vezels en proteïnen. Verder zit er bijzonder veel mangaan, koper, ijzer en fosfor in. Kikkererwten zijn rijk aan tryptofaan. Dat is een essentieel aminozuur dat je lichaam niet zelf aanmaakt, je kunt het alleen uit voeding halen. Je hebt tryptofaan nodig voor de aanmaak van serotonine. Er zijn aanwijzingen dat serotonine je stemming verbetert en ervoor zorgt dat je beter slaapt.

Knoflook

Zuivert de luchtwegen en het bloed. Het activeert ook maagsappen en het reinigt de darmen. Rauwe knoflook verhoogt de vitaliteit en verjongt organen als bijnieren, alvleesklier, lever en milt. Wil je geen typisch lookluchtje? Combineer dan knoflook met peterselie.

Kokosbloesemsuiker

Deze suiker is ongeraffineerd en daardoor blijven de meeste gezonde voedingsstoffen die het lichaam nodig heeft om het goed te verteren, erin zitten. Smaakt een beetje naar karamel. Ik vind het erg lekker om mee te bakken of voor in toetjes!

Kokosvet

Kokos is een bron van verzadigde en onverzadigde vetten die het lichaam goed kan opnemen en omzetten in energie. Zo voorkom je een sterke schommeling van de bloedsuikerspiegel. In bijna al mijn smoothies giet ik een flinke scheut kokoswater of wat kokosvet. Supergezond! Kokoswater is bovendien vochtafdrijvend. Kokosolie gebruik ik om in te bakken en braden. Dat kan een hoge temperatuur aan, zonder voedingswaarde te verliezen. Ook buiten de keuken gebruik ik kokosolie. Mijn huid en haar worden er heerlijk zacht van.

Komkommer

Levert zowel water als vezels. En als extraatje zit er vitamine C, silicium, kalium en magnesium in. Komkommersap hydrateert en houdt de huid gezond, egaal en glanzend.

Koriander

Lekker kruid dat veel ijzer bevat. Goed voor het bloed, het remt de groei van bacteriën en het bevordert de spijsvertering. Ik gebruik het in Aziatische gerechten en in salades.

Laospoeder

Helpt tegen ontstekingen, kalmeert de maag en stimuleert de spijsvertering. Ik vind het een lekker kruid, vooral in soep en Aziatische gerechten.

Lijnzaad

Bevat veel vezels en dat is goed voor de darmwerking. Ook zit er veel omega-3 en -6 in. Lijnzaad bevat daarnaast vitamine B1 en B2, calcium, magnesium en zink. Het is goed voor de ogen, huid en hormoonhuishouding.

Linzen

Linzen zijn ideaal ter bevordering van de stoelgang. Ze bevatten veel vezels en zijn een goede bron van energie. Ook rijk aan plantaardige eiwitten en sporenelementen zoals ijzer, fosfor, magnesium en B-vitaminen.

Lucumapoeder

Lucuma is een heerlijke, zoete vrucht waar poeder van wordt gemaakt. Ik gooi het in smoothies en shakes om ze zoet te maken. Bevat ook nog eens veel vitaminen en mineralen. Heerlijk!

Maca

Brengt de bloeddruk, bloedsuikerspiegel en hormoonspiegel in balans. Het bevordert een gezonde hormoonproductie, werkt libidoverhogend en kan de vruchtbaarheid verbeteren.

Madame Jeanette

Deze peper werkt preventief tegen tal van ziekten door de werking van vitaminen en mineralen. Als je dagelijks hete pepers of sambal eet, wordje minder snel verkouden. Peper houdt de luchtwegen open en gaat bacteriën te lijf. Bevat bovendien veel vitamine C en in mindere mate vitamine A, B1, B2, B3 en B6. Ik maak er gele sambal van, gebruik een mespuntje in soep. Madame Jeanette is best pittig!

Moerbeien

Bevatten vitamine A, B6, C, E en K, en de mineralen kalium, natrium, magnesium, selenium, ijzer, zink, koper en fosfor. Ik gebruik het in smoothies, als ontbijt en als snack. Moerbeien hebben een positief effect op hart en bloedvaten.

Munt

Verzacht maagpijn, bevordert de spijsvertering en geeft energie. Een glas muntthee is voor mij een lekkere opkikker!

Noten

Bevatten veel goede vetten, die helpen je cholesterol op peil te houden. Daarnaast bevatten ze ijzer, eiwitten, calcium en B-vitaminen. Ik gebruik in mijn recepten veel noten als walnoten, amandelen, hazelnoten en cashewnoten.

Pastinaak

Bomvol vitamine B, C en E, ijzer, kalium en calcium. De aanwezige etherische oliën verlichten maag- en darmklachten. De wortelgroente is rijk aan vezels en houdt daardoor de bloedsuikerspiegel stabiel. Pastinaak smaakt zoet, maar bevat weinig calorieën en verzadigde vetten. Stimuleert de nieren en voert afvalstoffen sneller af. Goed bij reumatische klachten. Verder zitten er veel antioxidanten in, die vrije radicalen bestrijden.

Peterselie

Zit bomvol voedingsstoffen, zoals de vitaminen A, B, C en K, en mineralen als ijzer en kalium. Ook bevat het veel chlorofyl, een stof met een sterke antibacteriële werking. Daarom is het zo effectief bij de bestrijding van een slechte adem. Peterselie is ook krampwe-

rend, tegen winderigheid, en wekt menstruatie op.

Pompoen

Bevat veel vitamine A en bètacaroteen, en is daarom goed voor de huid en de ogen. De pitten van een pompoen zijn ook erg gezond omdat ze vitamine E, magnesium en selenium bevatten. Van magnesium krijg je energie! Bovendien is pompoen rijk aan vezels en proteïne. Ik gebruik het vaak in risotto, als puree, maak er soep van of stop het in een ovenschotel.

Portobello's

Bevatten veel eiwitten en voedingsvezels, waardoor ze snel een verzadigd gevoel geven. Ook rijk aan mineralen zoals kalium, fosfor, koper, calcium, natrium, ijzer en mangaan. Boordevol vitamine B1, B2, B6 en C, en foliumzuur. Lekker voorgerecht nodig? Maak mijn gevulde portobello's (blz.59)!

Quinoa

Glutenvrij. Perfect voor vegetariërs, omdat er veel eiwitten in zitten. De combinatie van mineralen en vitaminen zorgt voor een energieboost voor je lichaam. Ik vind het een heerlijke basis voor veel gerechten. Ik eet het wel eens als ontbijt, maar mijn ultieme favoriet is mijn frisse Quinoasalade (blz. 52).

Rozemarijn

Heeft een ontspannende werking bij kramp, doodt bacteriën en remt virussen.

Rucola

Rucola werkt vochtafdrijvend en maagversterkend, en heeft ook nog een pijnstillende werking.

Selderij

Superveelzijdige stengels! Selderij wekt eetlust op en is vochtafdrijvend. Het verlicht nier- en blaasziekten en weert koorts. Stimuleert de stofwisseling. Last van winderigheid? Selderij helpt! Geeft ook verlichting bij reuma en jicht. Het verbetert je stemming. Tegen slecht ruikende adem. Handig voor wie van knoflook houdt!

Sesamzaad

Bevat veel eiwitten. Het is ontstekingsremmend, beschermt de lever en houdt de bloeddruk stabiel. Ik strooi vaak een lepel sesamzaad over een salade en stop het ook in mijn Osawacake (blz. 50).

Spelt

De beste en oudste graansoort, die je darmen beter kunnen verteren dan bijvoorbeeld tarwe. Spelt zorgt voor een goede stoelgang en het houdt de bloedsuikerspiegel beter op peil dan tarwe.

Spinazie

Rauwe spinazie bevat veel chlorofyl en dat zorgt voor het ontgiften van de darmen. Chlorofyl vind je in diepgroene bladgroente zoals spinazie, peterselie en boerenkool. Het is heel goed voor de huid. Chlorofyl heeft een hoog ijzergehalte en dat helpt bij vermoeidheid en duizeligheid. Spinazie bevat ook veel foliumzuur en dat is goed voor de celbescherming. Ook zit er veel bètacaroteen in en dat is goed voor de ogen!

Stevia

Goede vervanging voor suiker. Wij hadden vroeger altijd een steviaplantje in de tuin. Als klein kind nam ik er vaak een hapje van en kauwde er een tijdje op. Heerlijk! Ook gezond in gerechten, want het kruid bevat onder andere vitamine A en C, en mineralen als calcium, natrium, magnesium en zink. Er zitten geen suikers of koolhydraten in. Tegenwoordig is het ook verkrijgbaar in vloeibare vorm. Let op! Er zijn meerdere varianten te koop. Zorg dat je honderd procent stevia-extract hebt, zonder extra toevoegingen.

Thee (groene)

Stimuleert de spijsvertering en de vetverbranding door de lever. Goed voor de werking van het afweersysteem. Stimuleert ook de versterking van het kraakbeen in gewrichten. Je wordt er alert, geconcentreerd en creatief van.

Tomaat

Rijk aan vitamine C, zink, calcium en ijzer, maar vooral aan lycopeen, een krachtige antioxidant. Hoe roder de tomaten, hoe meer lycopeen ze bevatten. Tomaten stimuleren de aanmaak van procollageen, een eiwit dat goed is voor de huid. Tomatenpuree werkt tegen rimpels en huidveroudering.

Venkel

Venkel is krampwerend (ook bij baby's en kinderen) en stimuleert de melkproductie bij borstvoeding. Goed bij maagpijn, misselijkheid, en als mondspoeling bij ontstoken tandvlees. Heeft een positief effect op de spijsvertering en helpt daardoor ook bij afslanken. Werkt tevens urineafdrijvend en tegen winderigheid.

Vis

Vis (vooral wilde soorten) bevatten veel eiwitten en goede vetten, met name omega-3. Maar ook vitamine A, B en D, en mineralen, waaronder jodium. Vis kan een antidepressieve werking hebben, is goed voor de hersenen en helpt om op gewicht te blijven.

Vlierbes

Rijk aan tannine, aminozuren, carotenoïden, bioflavonoïden, rutine en de vitaminen A, B en C. Staat vooral bekend om de antivirale eigenschappen en immuniteitversterkende werking. Goed bij verkoudheid, griep, maagpijn en luchtwegaandoeningen.

Waterkers

Bron van jodium, rijk aan vitamine C, en daarmee een goede antioxidant en ontstekingsremmend. Dankzij zwavelhoudende stoffen goed voor de ontgifting van de lever en voor je huid, haar en nagels. Verlicht spier- en gewrichtsklachten, vermindert verzuring in de spieren en stimuleert de bloedsomloop. Super healthy!

Wijnsteenbakpoeder

Een gezonde vervanger voor gist, die ervoor zorgt dat deeg rijst.

Wortel

Bevat veel vitamine B1, B2 en C, en die combinatie zorgt dat wonden beter genezen. Wortels versterken het afweersysteem en helpen je gezond te worden en te blijven. De aanwezige bètacaroteen is goed voor de ogen.

Zeekraal

Zeekraal is rijk aan mineralen als natrium, calcium, magnesium en jodium. Steeds meer mensen met een westers voedingspatroon krijgen te weinig jodium binnen.

Zeewier

Heeft een goede werking op de schildklier. Door het ijzer en eiwitten is deze alg bijzonder geschikt voor strikte vegetariërs. Door het calcium is het ook goed voor botten en spieren. Rijk aan vitamine A, B en C, jodium, magnesium, zink en vezels.

Zeezout

Zout bestaat grotendeels uit natrium en chloride, en zit daarnaast boordevol mineralen en sporenelementen zoals magnesium, jodium (vooral in Keltisch zeezout) en broom. Zout heeft een desinfecterende en reinigende werking.

Zoete aardappel

Bevat veel vitamine A, B6 en C, bètacaroteen, ijzer, kalium en calcium. Vitamine A en bètacaroteen zijn goed voor je huid. Samen met vitamine C bestrijden die de vrije radicalen, die huidveroudering veroorzaken.

Zonnebloempitten

Rijk aan magnesium en goed voor je botten. In combinatie met calcium helpen ze de zenuwen in balans te krijgen. Het is een goede combinatie om rustig te worden en beter te slapen.

Zwarte peper

De belangrijkste werkzame stof in peper is piperine. Die bevordert de aanmaak van maagzuur, gal en spijsverteringsenzymen, waardoor voedsel beter wordt verteerd. Als je regelmatig peper eet, neemt je lichaam meer vitamine B12, bètacaroteen en selenium op uit je voeding.

Eten als medicijn

Nobody is perfect. ER ZIJN VAN DIE DAGEN...
JE KENT ZE WEL: *futloos* HAAR, DOFFE HUID, LAST VAN
MIJN *maag* EN WEINIG ENERGIE. DAN KIJK IK WAT IK IN MIJN
keukenkasten AAN INGREDIËNTEN HEB OM GEZONDE GERECHTEN
TE MAKEN DIE ME VAN DIT SOORT *kwaaltjes* VERLOSSEN. WANT
MET DE *juiste* VOEDING ZIJN ZE SNEL TE *verhelpen.* MIJN
Powerfood recepten ZIJN NIET ALLEEN LEKKER, MAAR
BOVENDIEN ERG *gezond* EN ZE GEVEN *energie.* PERFECT
VOOR EEN *happy & healthy life.*

Slaap

Slapen is heerlijk, daar kan ik kort over zijn. Slaaptekort kan je behoorlijk opbreken. Zeven tot acht uur slapen per nacht is het beste voor je. Ook voor je humeur, je energie en je concentratievermogen. Hoe lastig het ook is, probeer zo vaak mogelijk aan die uren nachtrust te komen.

POWERINGREDIËNTEN

Kamille, magnesium, zonnebloempitten en kikkererwten.

POWERFOOD RECEPTEN

Drink 's avonds mijn *Feelgood drink*, (zie blz. 151) Of eet iets met veel cacao, dat zit namelijk boordevol magnesium en daar slaap je goed op. Bijvoorbeeld mijn *Chocosnack* (zie blz. 85) of *Phyllon's verjaardagstaart* (zie blz. 119). Heb je meer zin in iets hartigs? Neem dan mijn *Kikkererwtensnack*, want ook daar zit magnesium in (zie blz. 93).

Huid

Je huid moet je goed verzorgen, zowel van buiten als van binnenuit. Voor een stralende en gezonde huid, moet je veel water drinken om je vochthuishouding op peil te houden. Ongeveer anderhalf tot twee liter per dag. Zorg ook dat je voldoende goede vetten eet. Als je last hebt van een onrustige huid, doe je er goed aan een sapje met veel zuur fruit en groene bladgroente te drinken.

POWERINGREDIËNTEN

Avocado, komkommer, groene en oranje groente, vette vis, plantaardige olie, noten en citroen.

POWERFOOD RECEPTEN

Start de dag met Popeye's breakfast (zie blz. 27), want daar zit lekker veel spinazie in. Ga 's avonds voor mijn *Pasta met zalm* (zie blz. 72), dat is een goede vette vis. Zin in iets zoets? De *Cheesecake* (zie blz. 112)

zit boordevol noten en citroen.

Haar

Als je haar maar goed zit! Gezond haar krijg je niet alleen door het te wassen met goede shampoo, maar je moet het ook van binnenuit verzorgen. Voor stralend en sterk haar heb je vitamine A, B, C, omega-3 en eiwitten nodig. Eiwitten maken je haar mooier, zorg dat je die voldoende neemt. Daarnaast verwen ik mijn hoofdhuid door die af en toe in te smeren met kokosolie en zo een nachtje te slapen. De volgende ochtend spoel ik de olie uit onder de douche en glanst mijn haar prachtig!

POWERINGREDIËNTEN

Zwarte peper, pompoenpitten, uien, knoflook, noten, chiazaad, gember, champignons en tomaten.

POWERFOOD RECEPTEN

Door de eiwitten in chiazaad gaat je haar sneller groeien. Mijn *Chia-bananenpudding* (zie blz. 21) is een perfect powerfoodgerecht als je haar niet zo goed groeit. Topper voor gezond haar is de *Quinoasalade* (zie blz. 52), die zit ook boordevol eiwitten. Ook mijn *Rode sap* (zie blz. 159) is goed voor gezond haar, er zit veel vitamine A en C in.

Griep en verkoudheid

Als ik griep heb, probeer ik zo veel mogelijk rust te nemen. Dus: in bed en slapen zoveel ik kan. Ik eet bewust maar weinig omdat mijn lichaam tijd nodig heeft om te herstellen van het griepvirus. Het is zo hard bezig afvalstoffen op te ruimen, dat er weinig energie overblijft om zware maaltijden te verteren. Daarom drink ik veel kruidenthee en maak ik lichte gerechten zoals soepen en salades. Met vitamine C geef ik mijn lichaam een energieboost.

POWERINGREDIËNTEN

Ui, groene bladgroente, bouillon, fruit, zeewier en zwarte peper.

POWERFOOD RECEPTEN

Mijn *Feel good drink* (zie blz. 151) en *Detox smoothie* (zie blz. 146) zijn enorme oppeppers als je ziek bent. Wil je 's avonds een lekkere, maar lichte maaltijd? Maak dan mijn *Misosoep* (zie blz. 63) of *Saotosoep met gele sambal* (zie blz. 56). Deze soepjes bevatten veel vocht en zout, dat heb je nodig als je veel zweet door de koorts. De pepers in de gele sambal zorgen dat je geen last meer hebt van een verstopte neus.

Darmen

Het is belangrijk om je darmen goed te verzorgen, omdat ze de voedingsstoffen die je lichaam nodig heeft opnemen uit wat je eet. Dat doe je door gezond en gevarieerd te eten, met zo min mogelijk suiker en zo veel mogelijk vezelrijke groenten en fruit. Drink bovendien genoeg water. Zo zorg je voor een soepele darmwerking. Oftewel: dan kun je gewoon goed poepen.

POWERINGREDIËNTEN

Kikkererwten, pompoen, lijnzaad, bananen, gedroogde vruchten en water.

POWERFOOD RECEPTEN

Vezels en vocht zijn essentieel voor je darmen, ze triggeren ze goed te werken. Mijn *Crunchy crackers* (zie blz. 35) zitten vol pitten en zaden en bevorderen de stoelgang. In peulvruchten zoals kikkererwten zitten ook veel vezels. *Hummus* (zie blz. 128) is een gezonde dip waar ook je darmen dol op zijn. Mijn *Mean green smoothie* (zie blz. 146) en de *Regenboogsalade* (zie blz. 36) bevatten veel bladgroente met chlorofyl en dat reinigt de darmen. Bovenal: drink voldoende! Minimaal anderhalf tot twee liter water of thee per dag.

Heb je last van verstoppingen in je darmen, drink dan nog meer!

Spieren en botten

Als je net als ik veel beweegt, is het belangrijk dat je de juiste voedings-stoffen binnenkrijgt, die goed zijn voor je spieren en botten. Want daar vraag je dan nogal wat van. Ik haal mijn calcium en eiwitten het meest uit plantaardig voedsel. De combinatie van calcium en magnesium is goed voor de botopbouw. Zorg dus dat je van beide evenveel binnenkrijgt.

POWERINGREDIËNTEN

Chiazaden, tahin, zeewier en zee-kraal, geitenzuivel, noten, zaden en volkorenproducten zoals spelt en donkergroene bladgroente.

POWERFOOD RECEPTEN

Een *Kickstartontbijt* (zie blz. 17) is perfect voor sporters. De haver-mout bevat magnesium, calcium en eiwitten. Een *Hennep smoothie* (zie blz. 146) is ook een goed begin van de dag, vanwege de eiwitten. Maak 's avonds mijn *Ovenschoteltje* (zie blz. 77), dan krijg je zowel goede vetten als eiwitten binnen.

Energie

Rennen, vliegen, stress, typen, praten, bellen. Zo kom ik, net als vele anderen, de dag door. Met een fikse dip rond vieren, ineens ontbreekt het me aan energie. Om dat te voor-komen, probeer ik voor voldoende ontspanning en slaap te zorgen. En met een goed ontbijt en tussendoor gezond eten en snacken, houd ik de hele dag energie. En anders? Pak ik net als jij ook gewoon een lekker bakkie koffie, hoor!

POWERINGREDIËNTEN

Cayennepeper, citroen, bananen, avocado, bessen, havermout en fruit.

POWERFOOD RECEPTEN

Mijn *Oersnack* (zie blz. 92) is zoetzuur, ik vind het heerlijk en krijg energie van de bessen en de noten. Rond vier uur is mijn *Hot energy drink* (zie blz. 153) mijn favoriet. De com-binatie van cayennepeper, honing en vitamine C maakt dit tot een perfecte opwekkende thee om een dip mee te lijf te gaan. En af en toe, als ik echt futloos ben, maak ik een *Coffee blast smoothie* (zie blz. 146). Heerlijk met banaan en koffie, die combinatie geeft me meteen een energieboost.

I'm so thankful!

The biggest thank you is voor mijn *heit* en *mem*. Jullie hebben me geleerd, gemotiveerd en geïnspireerd om gezond te eten. Altijd met open blik en zonder enige dwang. Dankzij jullie eet ik al mijn hele leven lekker en gezond, weet ik precies wat goed is voor mijn lijf, en daardoor kan ik nu vol overgave, liefde en plezier mijn werk doen. Ik voel me onwijs gelukkig en ik barst van de energie. Dank voor de inspiratie en de geweldige basis die jullie mij hebben gegeven!

To the most wonderful sister in the world! Mijn grote zus Doutzen heeft me altijd onwijs gesteund. Skatsje, je gunt mij alles en dat voel ik, maar je laat het ook zien. Je bent er altijd voor mij geweest en dat waardeer ik enorm. *Ik hâld fan dy!* En ook je prachtige zoon inspireert mij. Lieve Phyllon, veel van mijn zoete recepten heb ik door jou en voor jou gemaakt. Dank je wel voor alle gezellige, gekke en liefdevolle momenten samen.

Tijdens mijn leven in New York heb ik niet alleen mijn liefde voor gezonde voeding gevonden, maar ook de liefde van mijn leven. De afgelopen jaren heeft mijn vriend Sid met me meegedacht, me zien groeien, en is hij mijn steun en toeverlaat geweest. *Thank you chouchou* voor je kritische blik en je support in mijn ontwikkeling. Door jou sta ik nog krachtiger in het leven. *I love you!*

Liefs, Rens!